D1254598

INCROYABLES

ÉLÉPHANTS

EDITIONS WHITE STAR

Texte et photographies
Christine et Michel Denis-Huot

Texte de La malédiction de l'ivoire
Gianni Guadalupi

Maquette
Patrizia Balocco Lovisetti
Clara Zanotti

Adaptation française de
La malédiction de l'ivoire : Christine Favart

Pour la présente édition française

Révision et mise en pages
Julie Pacher

SOMMAIRE

1
En sortant de la rivière Ewaso Ngiro à Samburu, une femelle éléphant s'arrose de sable.

2-3
Au milieu des arbres et des buissons apparaît la tête d'une vieille femelle. La durée de vie des éléphants est en moyenne de 60 ans, quand ils ne sont pas braconnés.

4-5
Plusieurs familles de la réserve d'Amboseli passent une grande partie de la journée dans les marais. Elles y trouvent nourriture et eau en abondance.

6-7
Ce très jeune éléphanteau a suivi sa mère dans les marais d'Amboseli. Il n'a que quelques semaines et est encore couvert de poils bruns qui disparaîtront en grandissant.

8
Mosaïque d'époque romaine représentant un éléphant, conservée au musée du Bardo de Tunis.

9
L'éléphanteau cherche les mamelles de sa mère pour téter au coucher du soleil.

ISBN 978 88 6112 193 5
Dépôt légal : janvier 2009
1 2 3 4 5 6 13 12 11 10 09
Photogravure : Fotomec, Turin, Italie
Imprimé en Chine

10
Les jeunes éléphanteaux s'amusent souvent à charger quiconque – animal ou véhicule – s'approche de la troupe.

11
En fin de journée, ces jeunes femelles jouent en se tenant par la queue.

12-13
Une femelle, accompagnée de son dernier-né et d'un jeune plus âgé, se déplace pour rejoindre la zone où ils vont passer la nuit.

préface

Considéré à tort comme un vestige de la préhistoire condamné à l'extinction, comme le mammouth ou le dinosaure, l'éléphant est au contraire le représentant d'une espèce vigoureuse et dynamique, fruit d'une longue évolution de plusieurs millions d'années, capable de s'adapter à tous les milieux. Cette merveille de la nature a toujours fasciné l'homme et nombreux sont ses sympathisants. Le zoologiste Ian Douglas-Hamilton avance une explication : « Des créatures étranges et intelligentes, qui nous ressemblent terriblement par leur cohésion. » Et puis, leur extraordinaire mémoire, leur anatomie unique, leur grande intelligence, leur organisation sociale très développée justifient à elles seules cet enthousiasme.

Les éléphants vivent en troupeau. Dans leur milieu naturel, leur vie nomade se distingue par l'harmonie et la solidarité. L'équilibre social au sein de la famille ou du clan est sans égal dans le monde des mammifères. Les mères expérimentées conduisent le troupeau avec l'autorité que leur confère le matriarcat. Ils ressemblent aux hommes sur de nombreux points et ont globalement le même cycle de vie : le bébé éléphant se développe de façon similaire au petit de l'homme pour atteindre l'âge adulte vers 17 ou 18 ans. Les éléphants partagent avec notre espèce un sens de la famille et un sens de la mort très développés. Ils ressentent, comme nous, de nombreuses émotions. Ils peuvent être heureux ou tristes, agressifs ou placides. Ils pleurent profondément les êtres aimés, versent des larmes et souffrent de dépression. Ils s'entraident dans l'adversité.

Les éléphants d'Afrique sont peut-être les animaux les plus étudiés sur ce continent, mais il nous reste encore beaucoup à apprendre à leur sujet. Cela fait seulement vingt ans que les scientifiques ont découvert cette extraordinaire caractéristique qu'est la communication à distance par infrasons des pachydermes.

Bien que les éléphants exercent une forte pression sur leur environnement, ni leur force ni leur sagesse n'ont pu empêcher qu'ils fassent partie des espèces menacées de disparition, principalement à cause de l'ivoire de leurs défenses. Il représente maintenant un symbole, celui de l'Afrique sauvage, des derniers espaces libres. Mais pour combien de temps ?

Merci à Ian Douglas Hamilton, Cynthia Moss, Joyce Poole et Pierre Pfeffer qui nous ont permis de connaître les éléphants ainsi qu'à Richard Leakey pour son action en faveur de la faune sauvage au Kenya.

LA MALÉDICTION DE L'IVOIRE

14
C'est un petit éléphant, dessiné par le Bernin, mais réalisé par Ercole Ferrata, en 1667, qui a été choisi pour porter vaillamment l'obélisque égyptien de la Piazza della Minerva, *à Rome.*

15
Trompe levée pour saluer, l'éléphant, fier de son caparaçon orné d'une couronne royale, illustre la lettre E sur cette gravure du XVIIIe siècle extraite de l'ouvrage Les peintures antiques d'Herculanum.

16
*Cette planche, du XVIIIe siècle également, tirée de l'*Histoire naturelle *du comte de Buffon, représente de manière plus scientifique et plus réaliste, une maman éléphant allaitant son petit.*

17
Cette peinture rupestre paléolithique, provenant de Sandawe et conservée aujourd'hui au musée national de Dar es-Salaam, en Tanzanie, est peut-être la reproduction la plus ancienne de l'éléphant.

« Actuellement », écrivait, en 1750, le comte de Buffon, le plus grand naturaliste français du siècle des Lumières, « les éléphants sont plus nombreux et plus fréquents en Afrique qu'en Asie ; ils y sont aussi moins méfiants, moins sauvages et vivent moins retirés dans les solitudes. Il semble qu'ils connaissent le manque d'adresse et de puissance des hommes qu'ils rencontrent dans cette partie du monde. Tous les jours, sans aucune crainte, ils s'approchent de leurs habitations. Ils traitent les Noirs avec cette indifférence naturelle et méprisante qu'ils manifestent envers tous les autres animaux. Loin de les considérer comme des êtres forts et formidables, ils voient en eux une espèce ne sachant que tisser des intrigues et dresser des pièges. L'homme n'ose pas les affronter et ignore tout de l'art de les réduire en esclavage ». L'éléphant africain ignorait en somme le triste sort de son congénère asiatique, contraint non seulement à travailler comme un forçat pour les hommes, mais également à servir de machine de guerre, dressé pour tuer ou mourir au combat. Quel ravissement d'imaginer l'Afrique Noire comme un immense empire d'éléphants qui se superposait, pour ainsi dire, à une infinité de petits États tribaux. Insoucieux des frontières tracées par l'homme, ces mastodontes étaient souverains sur le continent, notait Buffon. Pratiquée en jouant de beaucoup d'astuces, mais avec des armes rudimentaires, la chasse ne pouvait causer trop de victimes. La technique la plus ancienne consistait à creuser un trou très profond le long d'une des pistes empruntées par les éléphants qui se rendaient au point d'eau. Les chasseurs le dissimulaient sous des branchages et attendaient. L'animal finissait toujours par y tomber. Les chasseurs le tuaient alors à coups de flèches et de lances. Une autre technique consistait à s'approcher doucement d'un troupeau. Après avoir choisi la victime, les chasseurs lui lançaient des flèches empoisonnées. Irrité par ses blessures, superficielles mais gênantes, l'éléphant fuyait et s'éloignait du troupeau. En l'espace de quelques heures, le poison avait fait son effet. Il ne restait plus dès lors aux chasseurs qu'à suivre les traces qui conduisaient à la proie. À l'origine, la chasse était naturellement motivée par le besoin de nourriture : une telle montagne de viande pouvait, en effet, rassasier un village tout entier. Avec la peau de l'éléphant, et du rhinocéros également, on fabriquait des boucliers, tandis que les crins de la queue, qui atteignaient parfois quatre millimètres de diamètre, servaient à la réalisation de bracelets très appréciés des belles indigènes. Dans certaines tribus, les plus téméraires prouvaient leur bravoure en tentant de couper la queue d'un éléphant sauvage, une épreuve redoutable au cours de laquelle ces jeunes hommes intrépides finissaient écrasés sous les pattes de l'animal. Les défenses représentaient des trophées très prisés qui ornaient les huttes et les tombes des chefs de tribus.

En 1855, alors qu'il descendait le cours du Zambèze, David Livingstone aperçut sur une île le mausolée d'un grand chef. Soixante-dix énormes défenses fichées en terre, l'extrémité tournée vers l'intérieur, décrivaient un cercle autour du monument funéraire, tandis que le tombeau était couvert d'une trentaine de dents d'éléphants déposées là par la famille du défunt. Quelques années plus tôt, dans cette même région, Livingstone était tombé sur des squelettes d'éléphants portant toujours leurs défenses, signe que le commerce de l'ivoire n'avait pas encore touché ces contrées lointaines. Mais moins d'une décennie plus tard, alors qu'il suivait l'itinéraire de Livingstone, Baldwin, un célèbre chasseur blanc, ne trouva plus la moindre trace de pachydermes. Pour tout gibier, cette région ne comptait plus que des oiseaux. Le grand massacre de la faune africaine avait commencé, une tragédie dont l'éléphant allait être la cible la plus convoitée. L'ivoire fut la véritable malédiction de ces pauvres bêtes. Dès l'Antiquité, les défenses, dont la Nature les avait pourvus pour se protéger, firent l'objet d'une chasse tellement acharnée qu'elle provoqua l'extinction des pachydermes dans toutes les zones du globe. Les premières victimes furent les éléphants du Proche-Orient, une région qui, des millénaires durant, fit partie de leur habitat. En plus des fossiles, comme ceux que l'archéologue sir Leonard Woolley mit au jour à Atchana-Alalakh, et qui datent de 1500 av. J.-C. environ, de nombreux témoignages littéraires attestent leur présence en Syrie et en Mésopotamie. Nous savons, par exemple, qu'après avoir conquis la Syrie, le grand pharaon Thoutmosis III, qui régna sur l'Égypte de 1501 à 1447 av. J.-C., s'octroya le plaisir d'une belle chasse à l'éléphant. Aux abords d'un point d'eau, les Égyptiens surprirent un troupeau formé de cent vingt individus environ, Thoutmosis se lança à l'attaque des pachydermes avec la même habileté que lorsqu'il livrait bataille. Maints écueils se dressèrent cependant sur sa route et si un courtisan n'était pas intervenu promptement pour couper la « main », autrement dit la trompe, de l'énorme éléphant qui l'avait saisi, sa passion pour la chasse aurait connu ce jour-là un épilogue tragique.

Les textes assyriens relatent également plusieurs chasses royales dans ces contrées. Tiglatpileser Ier (1115-1060 av. J.-C.) tua non moins de dix mâles en une journée et vers l'an 840 av. J.-C., Assurbanipal II mit à mort trente bêtes. Deux siècles plus tard, les éléphants de Mésopotamie, qui appartenaient au genre indien et non au genre africain, avaient complètement disparu, une extermination causée non pas par la persécution sportive des descendants de Nimrod, mais bien par les chasseurs professionnels qui fournissaient les marchands d'ivoire. Ce commerce était apparemment déjà très florissant, puisqu'on sait que les marins phéniciens exportaient à cette époque d'importantes quantités d'ivoire.

18-19
Un éléphant de Mésopotamie se découpe sur un bas-relief de l'obélisque noir de Shalmaneser III (858-824 av. J.-C.), conservé au British Museum. Le pachyderme et les deux singes tenus en laisse constituent le tribut payé au souverain assyrien par Jéhu, roi d'Israël.

19 à gauche
Un éléphanteau figure parmi le tribut que les Nubiens portent en Égypte, sur cette peinture pariétale ornant le tombeau du vizir Rekhmire (XVIIIe dynastie) dans la nécropole thébaine. La reproduction est issue de Les monuments de l'Égypte antique et de la Nubie, *un ouvrage d'Ippolito Rosellini (1832).*

19 à droite
À l'époque romaine, la cité de Leptis Magna, posée sur la côte de l'actuelle Libye, était un comptoir du commerce transsaharien, vers lequel les caravanes acheminaient les défenses d'ivoire. Cette statuette d'éléphant, hélas mutilée, fut mise au jour durant les campagnes de fouilles du site.

Après avoir disparu à l'état sauvage, l'éléphant refit son apparition un demi-millénaire plus tard au Proche-Orient, dans une version domestique et militaire issue de l'Inde. Lors de la bataille de Gaugamèles, qui porta le coup de grâce à l'empire de Perse, Alexandre le Grand et ses soldats macédoniens découvrirent pour la première fois des éléphants de guerre dans les rangs de l'armée ennemie. Quelques années plus tard, en 326 av. J.-C., alors que le conquérant avait franchi l'Indus et pénétré au Penjab, le rajah Poro lui opposa pas moins de deux cents éléphants qui, face à la phalange, battirent en retraite « comme des galères reculant de force sous le coup des rames » et finirent par s'affoler, piétinant indistinctement amis et ennemis. Ce comportement peu brillant impressionna néanmoins Alexandre le Grand qui les intégra dans les rangs de sa propre armée. À sa mort, en 323 av. J.-C., au moment de se disputer les dépouilles de l'empire, ses lieutenants organisèrent une bataille rangée de pachydermes. L'exemple fut repris par Perdiccas, le chiliarque de Macédoine, qui entra en Égypte pour vaincre son rival Ptolémée avec un détachement de soldats montant des éléphants. L'action se solda par un échec, puisque ses hommes se mutinèrent et le tuèrent. C'est pourtant grâce à cet événement que l'Égypte ptolémaïque se dota de son premier escadron d'éléphants. Devant l'enthousiasme débordant du souverain et de ses successeurs, et jugeant le nombre d'exemplaires importés d'Inde, au prix d'énormes efforts logistiques, insuffisant, Ptolémée II décida de tenter une aventure jusque-là inouïe de domestication des éléphants africains. Il envoya plusieurs expéditions qui allaient remonter le Nil jusqu'aux contrées éloignées de l'actuel Soudan et ratisser la région pour y capturer le plus grand nombre de mastodontes. Une fois aux portes des ports de la mer Rouge, les éléphants prirent la direction de l'Égypte à bord d'embarcations spécialement conçues pour de telles charges. Pendant ce temps, le roi d'Égypte convia à la cour une multitude « d'experts » indiens chargés de dresser les éléphants, mais aussi les Grecs et les Égyptiens qui les monteraient. Il put ainsi constituer une véritable armée, forte de quatre cents bêtes.

20 en haut
En marche vers la conquête de l'Orient, Alexandre le Grand croisa des éléphants de guerre en Perse, puis en Inde. Sur cette monnaie d'argent de dix drachmes, le souverain à cheval affronte un pachyderme monté par deux guerriers, dont l'un est probablement Poro, le roi d'un pays d'Inde.

20 en bas
Les Ptolémées, qui régneront sur l'Égypte après la mort d'Alexandre le Grand, importeront des éléphants d'Inde et quelques exemplaires africains, capturés dans les régions équatoriales, domestiqués par des « experts » venus spécialement du sous-continent indien. Cette statuette de bronze est exposée au musée du Caire.

21
Sur cette miniature du XVe siècle, tirée d'un manuscrit français de la Vie d'Alexandre le Grand, de Quinto Curzio, les éléphants semblent supporter, sans effort apparent, les tourelles immenses et grouillant de combattants.

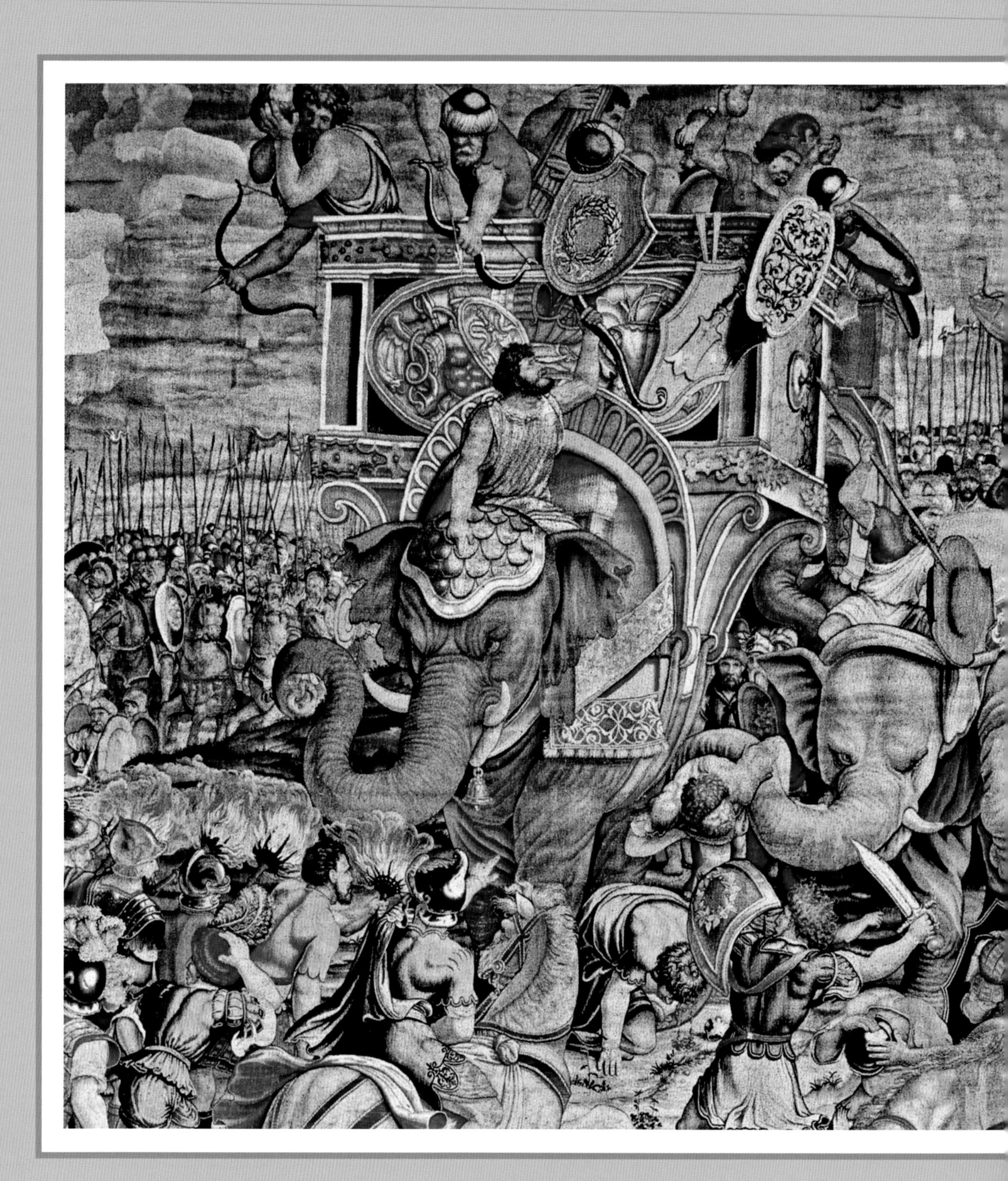

L'exemple connut un tel succès que les Carthaginois, qui avaient « importé » les éléphants de l'Égypte ptolémaïque, mais qui avaient également capturé plusieurs spécimens dans les forêts de l'Atlas, en firent grand usage. Les éléphants causèrent en effet bien des soucis aux Romains, surtout en Sicile. Les légionnaires romains avaient eu maille à partir avec ces créatures gigantesques pour la première fois en 280 av. J.-C., lorsque Pyrrhus, roi d'Épire, se tourna vers l'Italie avec l'intention d'infliger à l'Occident, le sort qu'Alexandre le Grand avait réservé à l'Orient. Les éléphants, à l'allure imposante et aux barrissements puissants, provenaient probablement d'Inde, et, lancés au pas de charge sur le champ de bataille d'Héraclée, ils terrorisèrent les chevaux des Romains. Le désordre tourna vite à la déroute. Ce n'était que partie remise. À Bénévent, les quirites barrèrent cette fois la route aux éléphants en s'armant tout simplement de torches enflammées qu'ils agitaient devant eux.

Ils étaient vraisemblablement originaires d'Afrique, et plus précisément de l'Atlas, comme les quarante exemplaires qui, au prix d'indicibles tribulations, franchirent les Alpes avec Hannibal et gagnèrent l'Italie. C'est encore d'Afrique du Nord que provenaient les éléphants destinés aux jeux du cirque. Des siècles durant, ces géants ont affronté des fauves, comme les tigres, les ours ou les lions, au cours de sanguinaires combats et joué surtout dans l'arène les rôles de jongleurs ou d'acrobates. De nombreux textes relatent des histoires d'éléphants exécutant d'incroyables tours d'adresse à l'aide de leur trompe, lançant épées et javelots en l'air avant de les récupérer au vol ou se mesurant avec habileté aux gladiateurs. Les écrits nous rapportent aussi des histoires de pachydermes qui dansent au son de la musique, marchent sur des cordes tendues ou défilent au pas dans de burlesques cortèges, portant sur leur trompe une femme langoureusement affalée sur un énorme drap.

22-23
Les Carthaginois dressaient les éléphants d'Afrique au combat. L'épisode d'Hannibal franchissant les Alpes avec une cohorte d'éléphants, dont certains périrent dans les neiges, est entré dans les annales de l'histoire. Cette tapisserie du XVIe siècle évoque une phase de la bataille de Zama, en 202 av. J.-C., durant laquelle Scipion l'Africain vainquit les Carthaginois d'Hannibal.

23 en haut
Vêtu à la turque, juché sur un semblant de trône posé sur le dos d'un éléphant au regard hargneux, Hannibal arrive en Italie sur cette fresque de Jacopo Ripanda, une œuvre conservée à Rome dans la salle des musées du Capitole consacrée à l'éminent condottiere.

23 en bas
Les Carthaginois étaient tellement fiers de leurs éléphants qu'ils allaient jusqu'à les exhiber sur leurs monnaies, comme en témoigne ce shekel *frappé en Espagne par la famille Barca, famille d'Hannibal, au IIIe siècle av. J.-C.*

24
Dans la Rome antique, les éléphants descendaient dans les arènes, où leur intelligence et leur adresse face à des exercices difficiles étaient appréciées. Durant les jeux du cirque, ils affrontaient également des gladiateurs et des fauves.

25
Sur cette copie de la fin du XVe siècle du Triomphe de César d'Andrea Mantegna, exposée à la Pinacothèque nationale de Sienne, les éléphants caparaçonnés emboîtent le pas à des taureaux qui seront offerts en sacrifice.

Les peuples antiques tenaient, en effet, l'intelligence de l'éléphant en si haute estime qu'ils avaient attribué à ces animaux des pouvoirs presque humains. Les œuvres des historiographes et des naturalistes sont émaillées d'un florilège d'anecdotes. D'après Pline l'Ancien (ou mieux d'après les textes qu'il a consultés), les éléphants de Mauritanie possédaient une religiosité élémentaire propre et vouaient à la Lune une sorte de culte. À chaque nouvelle phase, ils quittaient les monts et descendaient vers l'Amile, une rivière dans laquelle ils se purifiaient à grand renfort d'ablutions solennelles. Ensuite, après avoir rendu hommage à l'astre naissant en dressant leurs trompes vers le ciel dans un chœur de barrissements, ils regagnaient leurs forêts en portant les plus petits, fatigués du long voyage, « dans les bras », s'aidant de leur excroissance préhensile. Dion Cassius raconte ce qu'il se passa le jour où Pompée fit descendre, pour la première fois, quelques éléphants dans les arènes du cirque. Dès qu'ils comprirent que tout espoir d'échapper à une mort certaine était vain, les animaux tentèrent d'émouvoir les spectateurs en adoptant une attitude suppliante. Ils couraient de-ci de-là, levaient leurs trompes vers le ciel, comme s'ils voulaient montrer aux dieux « qu'ils n'avaient pas tenu parole, puisqu'ils ne les avaient pas ramenés sains et saufs dans leur patrie ». Le peuple romain, peu réputé pour ses élans de tendresse, semblait réellement ému, à tel point que Pompée, en personne, fut l'objet de violentes imprécations.
Antipatros mentionne deux éléphants de guerre appartenant à l'armée d'Antiochos, roi de Syrie, auxquels le souverain avait imposé des noms de héros homériques, « parce que ces animaux se sentent honorés de telles distinctions ». Lorsqu'ils durent franchir un fleuve, Ajax, le premier des deux, qui jusqu'alors avait été à la tête du détachement, refusa de descendre dans les eaux tourbillonnantes. Antiochos déclara qu'une récompense serait offerte au premier éléphant qui vaincrait le courant. Le second, Patrocle, s'avança et rejoignit fièrement l'autre rive avant de recevoir, au cours d'une cérémonie solennelle, un nouveau caparaçon brodé de fils d'argent. Ajax, l'humilié, fut dégradé. Cette sanction l'affligea tant qu'il se laissa mourir de faim en quelques jours.

26 en haut
Un éléphant minuscule apparaît parmi la faune, dans ce manuscrit du XIe siècle contenant un poème sur la chasse, composé par Oppiano (IIe-IIIe siècle apr. J.-C.). Biblioteca Nazionale Marciana, Venise.

La chute de l'empire romain coïncida avec la disparition, pendant plusieurs siècles, des éléphants en Europe, si bien que notre animal passa de la zoologie réelle à la zoologie fantastique, à l'image du phénix ou de la licorne.
Si les bestiaires du Moyen Âge attribuaient à l'éléphant une longévité d'au moins trois siècles, ils en décrivaient aussi les habitudes, parfois fabuleuses et teintées d'une symbolique chrétienne. La plupart des textes affirment que lorsque deux éléphants désirent procréer « ils se dirigent vers l'Orient, vers le Paradis, là où s'épanouit la mandragore. Là, la femelle, la première, se nourrit des fruits de la plante qu'elle offre immédiatement à son compagnon. C'est ainsi qu'elle le séduit et qu'elle conçoit. Lorsqu'elle sent la parturition proche, la femelle entre dans un lac jusqu'à la hauteur des mamelles. Son compagnon surveille le travail et se tient prêt à la défendre des assauts du dragon, l'ennemi des éléphants. Si un serpent surgit, le mâle l'écrase d'une patte jusqu'à ce que mort s'en suive. Lorsque l'éléphant tombe sur le sol, sa masse l'empêche de se relever. C'est ce qu'il se produit quand l'éléphant, dont les genoux sont dépourvus d'articulations, s'appuie contre un arbre pour dormir. Les chasseurs, qui connaissent cette habitude, scient légèrement l'arbre ; ainsi, lorsqu'il s'y adosse l'éléphant l'abat et tombe. L'animal à terre lance un appel à l'aide, suivi immédiatement de l'intervention de l'un de ses robustes compagnons qui, malheureusement, ne parvient pas à le relever.

26 en bas, à gauche
Cet éléphant abattant un arbre figure sur un manuscrit de 1564, rédigé à Paris par Angelus Vergecius et dans lequel on peut lire le texte du De animalium proprietate *d'Emanuel File, un poète byzantin du XIVe siècle. Bodleian Library, Oxford.*

26 en bas, à droite
Le rêve de l'agriculteur : une charrue tirée par deux robustes éléphants (peut-être un peu petits). Miniature figurant dans un manuscrit du XVe siècle de l'Histoire Naturelle *de Pline l'Ancien. Biblioteca Nazionale Marciana, Venise.*

27
Cet éléphant, pourvu de sabots de cheval et d'une trompe en entonnoir plutôt singulière, est représenté aux côtés d'un renard et d'un loup sur cette miniature du début du XVIe siècle, probablement de facture flamande. Bodleian Library, Oxford.

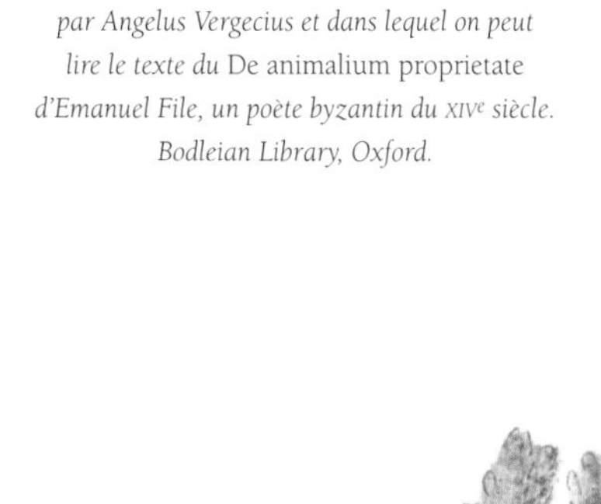

28
La tour, qui se découpe sur le dos de cet éléphant, porte les soldats au niveau des enceintes d'une cité assiégée. Bestiaire anglais du XIIIe siècle, Bodleian Library, Oxford.

29 en haut, à gauche
Ce chandelier de laiton, réalisé en Allemagne au XIIIe ou XIVe siècle, reproduit un pachyderme à l'étrange silhouette. Victoria and Albert Museum, Londres.

29 en haut, à droite
*Tandis que le dresseur carillonne pour inciter l'éléphant, un passager éperonne à l'aide d'un aiguillon l'animal qui supporte une nacelle. Cette miniature est contenue dans l'*Historia Maior*, une œuvre du bénédictin Matthew Paris (XIIIe siècle).*

29 en bas
Cette miniature, extraite d'un manuscrit du XVe siècle gardé à la Biblioteca Vallicelliana de Rome, évoque davantage un cheval paré de défenses qu'un éléphant.

Les deux animaux unissent alors leurs barrissements. Et voilà qu'une douzaine de pachydermes accourent, mais eux non plus ne peuvent rien. Ensemble, ils appellent alors à l'aide un éléphanteau qui délicatement glisse sa trompe sous l'éléphant à terre et le soulève. Réduits en cendres, les poils et les os de ce petit animal ont le pouvoir d'éloigner le mal et le danger, même celui du dragon. On doit donc reconnaître dans l'éléphanteau la figure du Christ qui, bien qu'il fût le plus grand d'entre tous, resta le plus humble ». À cette époque d'ailleurs, on croisait si peu d'éléphants que les rares spécimens qui débarquaient sur le continent européen suscitaient une curiosité inégalée. Ainsi lorsqu'en 1514, apparut, dans la Rome de Léon X, un éléphant, cadeau du roi du Portugal au pape et mastodonte dont la dernière apparition remontait au lointain empire romain, une fête grandiose fut organisée. Depuis les fortifications du château Saint-Ange, le souverain pontife contemplait, béat, les environs. Soudain, sur le pont, précédés du son des trompettes et des fifres, se découpèrent, sur leurs splendides montures, les silhouettes des ambassadeurs portugais, parées de velours écarlates et de colliers d'or. Après avoir bu de l'eau d'un seau et avoir joyeusement aspergé la foule, la grande bête, précédée d'un Maure juché sur un cheval, d'un autre à pied et d'un troisième montant un léopard aux allures pacifiques, plia les genoux devant le Saint-Père et le salua de trois barrissements. L'animal fut logé au Belvédère et resta, de nombreuses années durant, la distraction favorite des Romains.

30
Dans son carnet de voyages, l'explorateur Samuel Baker livre son illustration de la chasse à l'éléphant, où une poignée d'indigènes, appelés « Arabes » dans le texte, attaquent l'animal à l'aide d'épées, tandis que le cheval de l'Européen, effrayé, s'enfuit.

30-31
Cette gravure naïve du XIXe siècle reproduit une courageuse femelle éléphant, transpercée de nombreuses flèches empoisonnées, qui défend son petit contre les chasseurs indigènes armés de lances.

Si les Européens de cette époque connaissaient peu et mal les éléphants, ils savaient pourtant tout l'intérêt que représentaient leurs défenses, importées depuis toujours d'Afrique du Nord et ensuite, après l'extinction des éléphants de l'Atlas, causée précisément par l'implacable chasse à l'ivoire, par les caravanes qui traversaient le Sahara. La demande en ivoire, objet de hautes convoitises, entraîna l'introduction en Afrique Noire de techniques de chasse plus rentables, voire « industrielles », n'ayons pas peur des mots. Désormais, les chasseurs ne se limitaient plus à abattre un seul exemplaire, ils exterminaient un troupeau entier. Dans les régions équatoriales, les chasseurs, massés en groupes d'une trentaine d'individus, suivaient patiemment un troupeau d'éléphants jusqu'à ce qu'il pénètre dans un bosquet ou dans la grande forêt. Là, dans ces endroits privés d'eau, les hommes pouvaient facilement encercler les animaux. Ils déclenchaient ensuite un vacarme assourdissant, frappaient troncs et tambours, soufflaient dans des cornes et tiraient des coups de fusils pendant que deux ou trois d'entre eux se précipitaient à toute allure vers le village. Toute la tribu, forte de cinq ou six cents personnes, parmi lesquelles se trouvaient également des femmes, des enfants et des vieillards, accourait. On encerclait les animaux assiégés qui, terrifiés par autant de bruit, n'osaient pas prendre la fuite. Le travail commençait. On abattait les arbres, tressait des lianes, érigeait une palissade dont la circonférence atteignait parfois un kilomètre, un obstacle totalement infranchissable même pour l'incroyable force des éléphants, trop terrorisés toutefois pour tenter la fuite. À l'abri de huttes improvisées de branchages, on attendait des jours, voire des semaines. Les éléphants doivent boire beaucoup. Privés d'eau pendant aussi longtemps, les malheureux étaient vite à bout de forces et de ressources. Le moment venu, à l'issue d'une cérémonie en l'honneur des dieux de la chasse, les hommes introduisaient deux ou trois pirogues remplies d'eau dans l'enceinte. Les éléphants s'abreuvaient naturellement, mais le lendemain le massacre commençait. Vers le milieu du XIXe siècle, quand les « grands » chasseurs blancs débarquèrent en Afrique avec leurs armes à feu, de plus en plus meurtrières, le sort des puissants géants fut scellé. Un seul coup, bien ajusté, suffisait maintenant à les abattre. Selon un calcul approximatif, 848 000 kilogrammes d'ivoire auraient quitté le continent africain entre 1790 et 1880. Ce qui représente en moyenne la mort de 6 500 éléphants chaque année pour fabriquer des manches de parapluies ou des balles de billard.

32 à gauche
Surgissant soudainement d'un rideau végétal, un éléphant, que le dessinateur Émile Bayard a exagérément grandi, fond sur Livingstone, qui échappera miraculeusement à une fin tragique.

32 à droite
Tant Livingstone que Stanley, dont nous découvrons la célèbre rencontre en plein cœur de l'Afrique, furent d'éminents explorateurs, mais aussi d'adroits chasseurs. Dans leurs mémoires de voyage, les éléphants sont cités à plusieurs reprises comme une proie très convoitée.

La chasse au plus grand des animaux terrestres n'était cependant pas une mince affaire, même pour un chasseur adroit et bien armé. L'un des plus éminents explorateurs de l'Afrique mystérieuse, David Herbert Livingstone, conseille aux néophytes de s'entraîner avant de partir pour le Continent Noir. Il suggère, à cet égard, une expérience singulière : « Que celui qui souhaite partir à la chasse à l'éléphant se place sur une voie de chemin de fer, au milieu des rails. Là, qu'il ne bouge pas et qu'il attende le long sifflement de la locomotive. Quand il la voit se précipiter vers lui, qu'il coure à toute vitesse, mais pas avant que la machine ne se trouve à deux ou trois pas de lui ; il saura alors si ses nerfs lui permettent d'affronter le colosse. » On découvrit bien vite cependant que l'éléphant avait un point faible. Une meute de chiens de chasse menaçants pouvait en effet lui faire perdre la tête. « Il suffit de l'aboiement de quelques roquets », renchérit Livingstone, « pour que l'éléphant oublie de se défendre et de charger. Dans ce cas, le seul danger est que la meute, en revenant vers le chasseur, n'attire l'animal ». Pour éviter la charge de l'éléphant en furie, les blancs le chassaient à cheval. Rares étaient les chasseurs qui avaient le courage, et la témérité, de les affronter à pied. Certains chasseurs furent d'ailleurs victimes de leurs proies. L'Anglais William Cotton Oswell, qui accompagna Livingstone dans sa traversée du Kalahari, connut une formidable aventure. Il avait acquis la réputation de grand chasseur d'éléphants après avoir tué notamment quatre gros mâles en une seule journée et avait suscité l'admiration des indigènes parce qu'il n'employait pas les chiens. Un jour, il poursuivait un pachyderme sur les rives du Zuga. Soudain, l'animal s'enfonça dans les broussailles épineuses qui côtoyaient le cours du fleuve. Assis sur son cheval, il suivait sa proie sur un étroit sentier, n'apercevant, de temps à autre, que la queue de l'animal assailli. Celui-ci fit brusquement volte-face et chargea le cavalier, se muant tout de go en assaillant. Oswell, qui n'avait pas le temps de fuir, tenta de descendre de cheval, mais sa monture terrorisée se cabra et le projeta au sol, face vers le ciel, sur la trajectoire de l'éléphant en pleine course. Le chasseur vit la gigantesque patte de la bête sur le point de s'abattre sur ses deux jambes. Dans un réflexe, il les écarta et retint son souffle pour mieux résister à la pression mortelle de l'autre patte qui s'apprêtait à le broyer. Par miracle, l'énorme masse sauta par-dessus le chasseur sans même l'effleurer, le laissant au sol sain et sauf.

Tout comme Livingstone et Oswell, les explorateurs du XIXe siècle, de Burton à Speke, de Grant à Baker et à Stanley, connurent l'émotion d'un face-à-face avec un éléphant. Le chasseur se faisait un point d'honneur à rentrer au foyer chargé des défenses d'un exemplaire abattu personnellement. Leurs expériences se ressemblent toutes. Écoutons, par exemple, la prose de sir Samuel Baker, le plus littéraire des narrateurs d'aventures africaines. Dès qu'il aperçut onze éléphants marchant ensemble le long de la berge du Nil Blanc, Baker entra immédiatement en action, comme s'il commandait une opération militaire : « Je donnai à mes hommes l'ordre de courir vers les éminences, de contourner

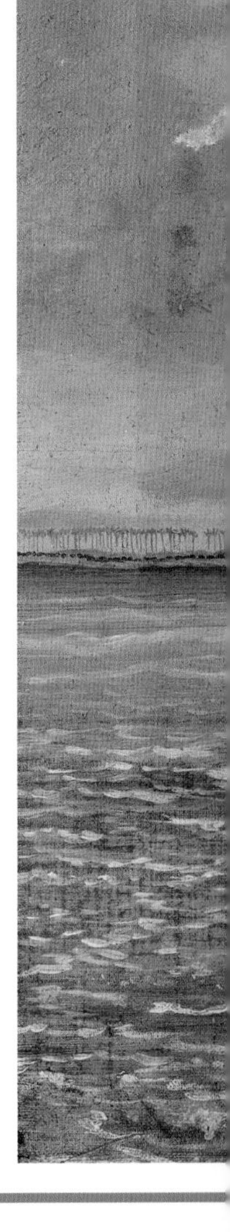

32-33
Depuis le Ma Robert, *le bateau de Livingstone, voguant au gré des eaux du Shiré, un affluent du Zambèze, les explorateurs abattent un éléphant. Le tableau, exécuté en 1859, est l'œuvre de Thomas Baines, un artiste membre de l'expédition.*

34 en haut
Richard Burton (à gauche) et John Speke (à droite) explorèrent la région des grands lacs de l'Afrique centrale à la recherche des sources du Nil. Ces chasseurs émérites rivalisaient d'adresse. Leurs récits de voyage sont remplis d'excellentes chasses à l'éléphant.

34-35
La charge d'un troupeau d'éléphants était, et reste, toujours la pire des mésaventures pour un chasseur, comme l'illustre ce tableau extrait du livre de John Speke, Journal of the Discovery of the Source of the Nile, *publié à Londres, en 1863.*

35 à gauche
Un autre explorateur de la région des Grands Lacs, l'Anglais sir Samuel Baker, représenté ici dans un accoutrement de fortune, livra une chasse acharnée aux pachydermes inoffensifs.

35 à droite
Dans leur quête désespérée d'une échappatoire, les éléphants attaqués par Samuel Baker démolissent une rive rocheuse pour sortir du fleuve et tenter de trouver refuge dans la proche forêt.

les éléphants et de s'arrêter à deux cents pas du troupeau... Je montais Gridy Grey, mon valeureux poulain, et... j'escaladais la pente, de façon à me placer sous le vent par rapport aux pachydermes. Je galopais à toute allure. Les indigènes, rassemblés sur la rive orientale du fleuve, poussaient des cris d'étonnement. En l'espace de quelques minutes, j'atteignis le plateau à quatre-vingts, voire cent mètres, au-dessus des éléphants... Pendant ce temps, mes soldats, des coureurs de premier ordre, avaient gravi les monticules et s'étaient disposés le long d'une ligne filant de la pente à la berge du fleuve. Les animaux étaient maintenant complètement encerclés... J'allais mettre pied à terre quand ils accomplirent un demi-tour avant de prendre la direction du fleuve. Je descendis la pente jusqu'à la rive, mais lorsque j'y parvins, ils avaient déjà gagné l'autre berge... Le tir était difficile, car les éléphants me tournaient le dos et se trouvaient désormais à plus de cent mètres... Tout à coup, un grand mâle, parvenu à mi-côte, me présenta le flanc un bref instant ; je fis feu. Son corps reçut une balle de calibre 8. L'éléphant dégringola dans le fleuve. Frappé de violentes convulsions, il gisait maintenant à vingt mètres de moi, une balle dans la tête, lui asséna le coup fatal. La rive haute et rocheuse était entièrement détruite, un éléphant venait d'atteindre la crête. Armé de ma carabine Holland chargée de vingt et un grammes de poudre fine, je fis feu. Le recul m'arracha l'arme des mains, la projetant à plusieurs mètres de moi. L'éléphant s'affala sur les genoux, une deuxième balle le terrassa. L'animal roula dans le fleuve qui l'emporta comme le premier. » À la lecture de ce passage, et d'autres extraits de la même veine, notre admiration ne se mesure plus aujourd'hui à l'adresse du tireur, mais à l'ingéniosité des éléphants en quête d'une possible échappatoire.

36 en haut
Une caravane de porteurs indigènes, chargés de défenses destinées aux ports côtiers, traverse le Tondy.

36 en bas
Un chasseur indigène rentre au village avec cette défense gigantesque d'un éléphant mâle.

Les chasseurs sportifs cédèrent bientôt la place à de véritables professionnels du massacre, les marchands d'ivoire. Jusqu'au milieu du XIXe siècle, le commerce des précieuses dents d'éléphants suivait les pistes du Sahara, mais il se concentrait également vers les ports du golfe de Guinée, où toutes les puissances européennes possédaient des fermes dans lesquelles les tribus guerrières de l'intérieur du pays venaient vendre esclaves et ivoire. Les esclaves étaient embarqués pour les colonies d'Amérique. Quant à l'ivoire, il partait pour l'Europe. Un pan du littoral reçut d'ailleurs le nom de Côte d'Ivoire, une appellation justifiée par l'abondance de cette marchandise, un nom qu'a gardé aujourd'hui un État africain. Autrefois, le principal centre de ce trafic était l'île de Marfim (« ivoire » en portugais), située non loin de la source du Sénégal. La raréfaction des éléphants en Afrique occidentale et la demande croissante de défenses par les Européens allèrent de pair avec l'ouverture de nouveaux territoires de chasse dans le cœur sauvage du continent, la région des Grands Lacs. C'est à ces contrées que les marchands d'esclaves arabes arrachaient leurs victimes, ensuite acheminées vers l'Égypte par le Nil ou dirigées vers l'île de Zanzibar. Dans cette partie de l'Afrique, frappée par un cruel destin, la traite des esclaves et le commerce de l'ivoire devinrent une seule et même infamie, unie d'un lien indissoluble. Les caravanes des marchands, qui s'aventuraient dans l'intérieur des terres pour accomplir leurs razzias, pillaient les villages pour se procurer hommes et femmes et mettaient à sac les réserves d'ivoire accumulées par les chasseurs indigènes. Ces mêmes esclaves servaient ensuite de bêtes de somme chargées du transport des lourdes défenses. Il fallut un demi-siècle pour éradiquer ce fléau.

37 en haut
Lorsque l'état des pistes permettait l'usage de chars tirés par des bœufs, les porteurs à pied pouvaient enfin se décharger d'un poids énorme et déposer les défenses sur les véhicules.

37 au centre
Avant de quitter le village, qui des mois durant avait servi de base pour la chasse aux esclaves et à l'ivoire, les gardiens préparent la charge et lient les défenses deux à deux.

37 en bas
Les porteurs d'ivoire constituaient un élément incontournable des caravanes africaines du milieu du XIXe siècle, accompagnés des porteurs d'étoffes, objets de troc avec les chefs indigènes, et des immanquables femmes chargées de la cuisine, qui voyageaient souvent avec un enfant sur le dos.

Hale & Son

38-39
Gisant sur le sol d'un entrepôt des docks de Londres, des centaines de défenses attendent les acheteurs. La photographie remonte à 1895 environ.

39
L'abattage d'un éléphant par des chasseurs blancs déclenchait une fête chez les indigènes. En haut, les membres d'une tribu découpent les meilleurs morceaux destinés à un somptueux banquet. Au centre et en bas, deux caravanes transportent le précieux ivoire.

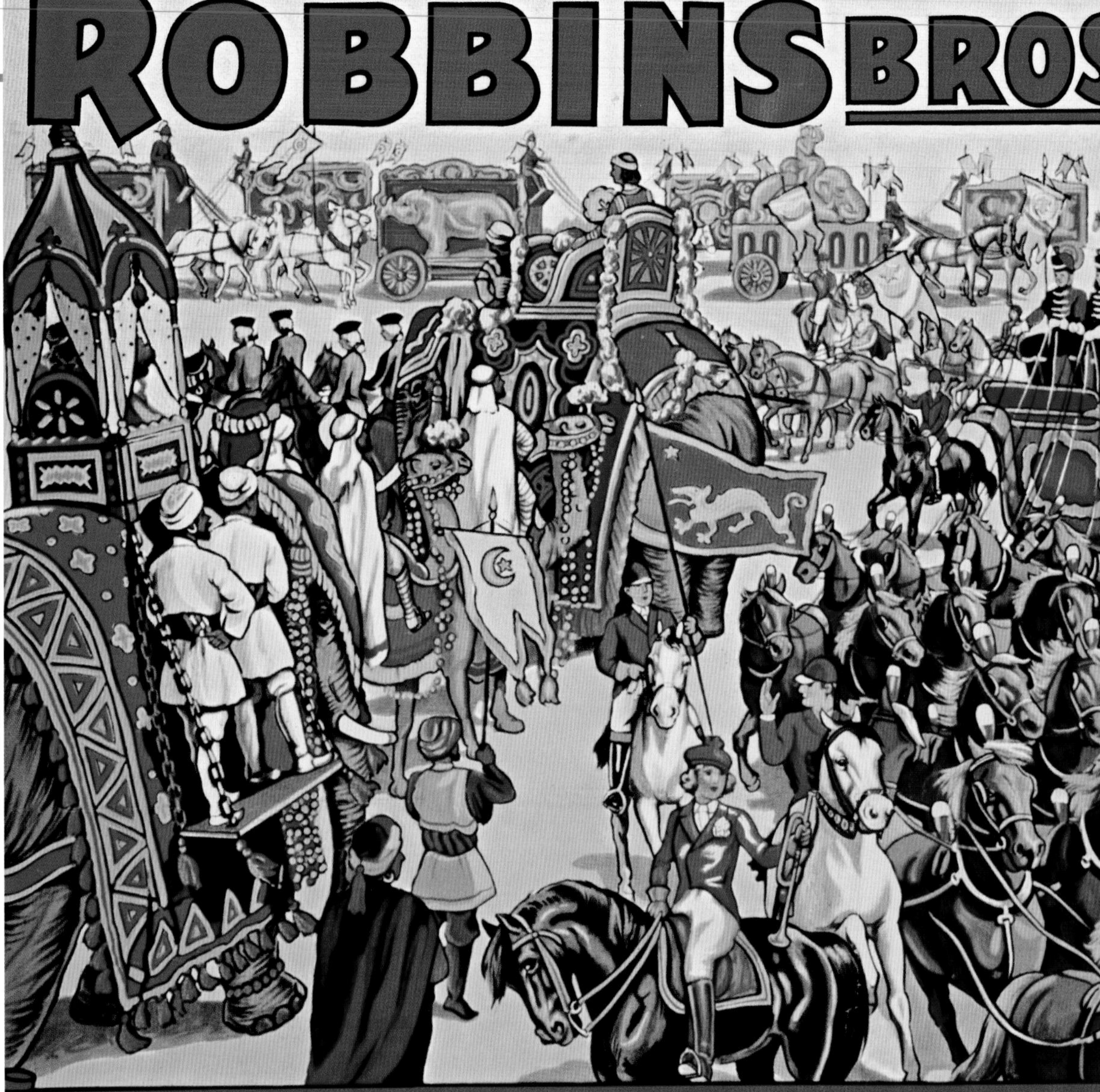

40-41
Comme dans les arènes de la Rome antique, les éléphants représentaient l'une des principales attractions des cirques aux XIXe et XXe siècles. Leurs barrissements animaient les défilés dans les rues des villes.
Affiche du cirque Robbins Bros., Museum of the City of New York.

40 en bas
Ce dessin, tiré de l'album Le cirque en images *de Juliette et Marthe Vesque (1922) illustre avec à propos l'intelligence et la surprenante adresse des éléphants, un talent qui leur permet d'exécuter des numéros spectaculaires seuls ou en compagnie d'autres animaux dressés.*

RINGLING BROS
WORLD'S GREATEST SHOWS
TRY A SHOT & GET A CIGAR
ELEPHANTS AT THE FAIR
THE "HELLO" ELEPHANTS
A FEATURE AMONG 40 ELEPHANTS IN UP-TO-DATE PERFORMANCES.

41 en haut
Les éléphants capables de mimer des attitudes humaines, comme ceux de cette affiche du Cirque Ringling Bros., conservée au Museum of the City of New York, qui réalisaient, avec les clowns, les numéros les plus amusants et les plus appréciés des jeunes spectateurs.

Les fervents disciples de Diane et les chercheurs d'ivoire sans foi ni loi n'étaient pas seuls dans cette Afrique du XIXe siècle, d'autres prédateurs rôdaient. Ceux-là fournissaient les jardins zoologiques, qui se mirent à proliférer dans toutes les grandes villes européennes durant la seconde moitié du siècle, et les cirques qui, à cette même période et durant la première moitié du XXe, tenaient le haut de l'affiche avec leurs spectacles de domptage. Comme à l'époque de la Rome antique, les éléphants revinrent sur scène pour exhiber leurs incroyables talents de danseurs, d'équilibristes ou d'haltérophiles soulevant non pas des poids, mais bien des hommes. Le ballet d'éléphants, parés de jupettes aux couleurs chatoyantes (ou mieux de jupes longues) et de panaches, était le clou du spectacle de tout cirque digne de ce nom, tout comme l'était la patte soulevée de l'éléphant qui effleurait le visage d'une charmante jeune fille étendue sur la piste. Entre-temps, dans l'imaginaire collectif des lecteurs de livres d'aventures et des passionnés du grand écran, naissait le dernier mythe de l'Afrique mystérieuse, celui du cimetière des éléphants. Enfoui au cœur des forêts équatoriales, ce lieu constituait le point de ralliement vers lequel confluaient tous les mastodontes, qui sentaient la fin proche. Là, ils s'étendaient parmi les ossements et les défenses de leurs ancêtres avant de s'éteindre. Un autre mirage à l'assaut duquel tant d'hommes s'élancèrent sans jamais le saisir. Seul Tarzan connaissait ce secret. Un secret qu'il ne dévoila pourtant à personne.

L'ADAPTATION D'UN GÉANT

42 à gauche
Les acacias parasol (acacia tortilis) *plaisent particulièrement aux éléphants. Ce mâle se délecte d'écorces et de branches. Cette attirance serait due, d'après certains scientifiques, à la haute concentration en calcium de ces arbres.*

42 à droite
La troupe quitte la zone forestière où elle a passé la nuit au pied du Kilimandjaro pour rejoindre les marais. Les éléphants aperçoivent des Massaïs et leurs troupeaux, et fuient rapidement.

44
Des nuées de moustiques entourent cette femelle éléphant, à Amboseli.

45
Le mâle, en alerte, a senti la présence d'un danger et décode l'information véhiculée par l'air. À cause de son faible sens de la vision, l'éléphant se fie principalement à son odorat.

LA DYNASTIE DES ÉLÉPHANTS

Les éléphants d'Afrique, tout comme ceux d'Asie, appartiennent à l'ordre des Proboscidiens, ce qui signifie « ongulés porteurs de trompe ». Ce sont les ultimes représentants d'une longue succession d'espèces qui commença modestement ; l'ancêtre primitif de l'éléphant est d'ailleurs inconnu. On sait simplement qu'il était encore amphibie il y a plus de 55 millions d'années. À partir de cette origine sont nées plusieurs lignées – certains scientifiques avancent le nombre de trois cents. Les premiers Proboscidiens, sans doute originaires d'Afrique et du sud-est de l'Asie, émigrèrent ensuite vers tous les continents, exceptés l'Antarctique et l'Australie. Leur prolifération et leur diversification les ont conduits à chercher sans cesse de nouvelles sources de nourriture et de nouveaux habitats. Ils peuplèrent les forêts les plus humides, les steppes les plus chaudes et les plus arides, sans oublier les zones tempérées et leurs hivers enneigés. Ils s'installèrent jusqu'au nord de l'Europe mais aussi en Amérique par le détroit de Béring. Le plus vieux Proboscidien connu, le *Moeritherium*, – des fossiles ont été retrouvés dans l'oasis du Fayoum à une centaine de kilomètres au sud du Caire en Égypte – appartenait à une de ces lignées qui s'est éteinte à l'Oligocène (entre -36 et -24 millions d'années). Cet animal au corps robuste et massif, de la taille d'un hippopotame nain, vivait il y a environ 45 millions d'années dans les étangs et les marais d'Égypte. Il n'avait ni défenses ni trompe mais un simple mufle allongé, comme celui d'un tapir. Ses yeux et ses oreilles étaient haut placés, comme chez les mammifères marins, pour émerger juste au-dessus de la surface de l'eau. Rien ne laissait soupçonner chez le *Moerithérium* le futur géant de la brousse. Hormis peut-être quelques indices crâniens, une certaine morphologie des membres et de la denture – en particulier, la présence d'incisives allongées en forme de défense –, qui ont permis de le classer dans cet ordre des Proboscidiens. L'évolution de l'espèce s'est orientée vers le gigantisme. Plus les lignées gagnaient en stature, plus leur cou se raccourcissait afin de pouvoir supporter une tête très lourde, surtout quand les individus se sont dotés de quatre défenses. Cette grande taille et le raccourcissement du cou ont nécessité le développement d'un long appendice, plutôt original, permettant de raccorder la bouche des animaux au sol, et donc à la nourriture. Ce fut la trompe. Les transformations des maxillaires et des incisives au fil du temps furent spectaculaires. Leur métamorphose passa même par quelques avatars singuliers. Les plus étranges des Proboscidiens furent sans doute ceux qui se retrouvèrent avec deux défenses inférieures en forme de pelles ou de cuillères, aussi développées que des défenses d'éléphant. Au Pléistocène, c'est-à-dire hier à l'échelle des temps géologiques, une espèce sud-américaine avait même des défenses extraordinaires en spirale.

Il y a seulement quelques milliers d'années, des races naines peuplaient diverses îles dans le monde. En Méditerranée, la découverte de leurs restes fut sans doute à l'origine du mythe des Cyclopes. Les fosses nasales de ces Proboscidiens s'ouvraient comme une orbite au milieu d'un crâne globuleux d'apparence humaine. De là est née la légende de ces géants ne possédant qu'un seul œil.

Parmi les nombreuses lignées connues, on distingue quatre groupes principaux : les gomphothères, les mastodontes, les dinothères et les Éléphantidés.

Les gomphothères pouvaient mesurer jusqu'à 3 mètres de haut. Ils vivaient en Afrique et en Eurasie à la fin de l'Oligocène. Les défenses longues et légèrement recourbées vers le bas qui ornaient leur mâchoire supérieure atteignirent chez certaines espèces une longueur telle, qu'ajoutée à celle de la tête, elles égalaient la longueur du tronc.

Les dinothères eux, n'avaient pas de défenses à la mâchoire supérieure mais seulement à la mâchoire inférieure ; elles étaient recourbées vers le bas et pour certaines espèces vers l'arrière ! Ils disparurent il y a environ 1 million d'années.

Les premiers mastodontes apparurent avec le genre *Palaeomastodon* en Afrique du Nord à la fin de l'Éocène (40 millions d'années). Ils avaient à peu près la taille des éléphants actuels mais leur corps était plus massif et couvert de poils, avec deux belles défenses légèrement recourbées vers le bas sur la mâchoire supérieure, et deux petites défenses horizontales sur la mâchoire inférieure. Les espèces du Tertiaire récent virent leurs incisives supérieures devenir de plus en plus longues, alors que celles de la mâchoire inférieure se réduisirent jusqu'à disparaître chez les mastodontes de la période glaciaire.

Le développement des Éléphantidés commença il y a 16 millions d'années au milieu du Miocène. L'ancêtre commun aux mammouths et aux éléphants actuels, le *Primelephas*, possédait de petites défenses inférieures qui disparurent progressivement tandis que les défenses supérieures ne cessèrent de s'allonger. Les dents se modifièrent pour permettre la mastication de végétaux durs, les animaux purent ainsi s'adapter à des milieux plus hostiles, aux sols plus pauvres.

Les premiers mammouths vécurent en Afrique il y a 3 millions d'années. Bien que plus grands – avec une hauteur de 4 mètres au garrot –, ils ressemblaient assez aux actuels éléphants d'Asie, même si leurs défenses étaient plus longues et plus lourdes. Il y a seulement cent vingt mille ans, certains de ces Éléphantidés s'adaptèrent aux régions froides. Une abondante toison de couleur rousse protégeait le mammouth laineux du froid ; ses grosses bosses sur la tête et les épaules servaient à stocker des réserves graisseuses pour les périodes de pénurie. Ses puissantes défenses, recourbées vers le haut, lui permettaient sans doute de gratter le sol à la recherche de graminées enfouies sous la neige. La disparition du mammouth à la fin de la dernière glaciation succéda rapidement à celle – tout aussi mystérieuse – des Néandertaliens du Paléolithique moyen, il y a environ quarante mille ans. Leur extinction fut simultanée en Eurasie et en Amérique, bien que l'on connaisse l'existence d'un troupeau de mammouths en Sibérie datant seulement de trois mille ans. La disparition des mammouths n'est pas totalement expliquée. Est-elle due à un réchauffement soudain du climat entraînant des modifications profondes de la végétation, à de grandes catastrophes naturelles, à des épizooties, à une chasse trop intensive ou à la combinaison de tous ces facteurs ? Il y a environ 2 millions d'années, cinq espèces d'éléphants – dont une possédait d'immenses défenses recourbées vers le bas – vivaient sur les savanes d'Afrique de l'Est. Ces éléphants y côtoyaient d'étranges créatures comme des girafes à grands bois et des antilopes aux cornes massives qui pouvaient mesurer plus de 3 mètres. Deux familles d'éléphants survécurent, donnant naissance aux deux espèces que nous connaissons et dont certains aspects physiques diffèrent. Le genre *Elephas* auquel appartient l'éléphant d'Asie se développa en Afrique, puis se répandit à travers tout le sud de

46
Les femelles sont plus petites que les mâles, avec une hauteur d'environ 3 m à l'épaule pour un poids de 3 à 4 tonnes.

47
Les éléphanteaux se reposent dans la journée, protégés par les membres de la troupe.

l'Eurasie. Le genre *Loxodonta* auquel appartient l'éléphant d'Afrique apparut il y a 1,5 million d'années. Deux sous-espèces vivent en Afrique : l'éléphant de forêt *Loxodonta africana cyclotis* qui occupe les forêts primaires d'Afrique occidentale et centrale, et l'éléphant de savane *Loxodonta africana africana*. Aujourd'hui encore, un bon tiers des éléphants africains mènent une vie secrète et mystérieuse dans les sombres profondeurs de la forêt humide. Ces éléphants de forêt, encore appelés éléphants à oreilles rondes, sont plus petits que leurs congénères de savane. Leur hauteur à l'épaule ne dépasse pas 2,4 mètres tandis que leurs cousins des savanes peuvent atteindre 4 mètres. Ils ont les oreilles relativement petites et nettement arrondies. Plus foncés, ils ont des défenses plutôt droites et minces, et leur pilosité plus importante se concentre sous le menton et sur la trompe. Ils ressemblent à des éléphants de savane juvéniles. Ces différences semblent être le fruit de leur adaptation à la forêt.

Une troisième forme africaine a souvent été décrite – l'éléphant nain *Loxodonta pumilio*. Elle se distingue par son habitat, la forêt primaire, et par sa taille qui ne dépasse pas 2 mètres au garrot. Ces éléphants vivent en petits troupeaux et sont très agressifs vis-à-vis des Pygmées qui les craignent. Les observations sur le terrain et l'étude des squelettes de ces éléphants de petite taille ont amené Pierre Pfeffer – qui a longuement étudié les éléphants – à les considérer plutôt comme de jeunes *cyclotis* vivant en marge des groupes matriarcaux. Pour d'autres scientifiques, il s'agirait véritablement d'une troisième sous-espèce.

Une étude génétique datant de 1997 mais reprise encore récemment, suggère que l'éléphant de forêt et celui de savane pourraient avoir atteint un tel niveau de différenciation qu'il conviendrait de les considérer comme deux espèces séparées, aussi différentes que le lion et le tigre. Cette thèse est loin de faire l'unanimité. Elle a en outre été publiée l'année même où l'éléphant a été déclassé de sa protection totale, en annexe I de la convention de Washington (CITES). Certains y ont vu une manœuvre permettant de créer une nouvelle espèce sans statut de protection, comme cela s'est produit en 1976 pour le rorqual bleu nain. De plus, chez certaines populations où cohabitent les deux sous-espèces, certains individus présentent des caractères mélangés ; c'est notamment le cas dans le parc de la Garamba sur le territoire de l'ex-Zaïre. Les éléphants sont donc les derniers survivants des nombreuses lignées de Proboscidiens. Contrairement aux apparences, rhinocéros ou hippopotames ne sont pas leurs plus proches parents. Étonnamment, ce rôle est tenu par les lamantins et les dugongs – tous deux des Siréniens –, et les damans, uniques représentants des hyracoïdes. Ce cousinage paraît bien surprenant car ces derniers ont plutôt l'allure de marmottes alors que les premiers ressemblent à d'étranges pinnipèdes glabres. Ceci tient au fait que la classification des espèces a longtemps été – et demeure – largement fondée sur l'anatomie descriptive. Et en regardant en détail l'anatomie respective de ces différents animaux, on constate que les proboscidiens, les siréniens et les hyracoïdes comportent de nombreux points communs – en particulier au niveau de la denture. En effet, comme les molaires des éléphants, celles des siréniens s'usent et sont remplacées par de nouvelles dents se développant sous les premières. La denture des damans n'est pas celle des rongeurs, leur mâchoire supérieure comportant deux petites défenses, des incisives allongées vers l'avant. Tous ont deux mamelles pectorales et leur cœur présente une structure identique. De plus, les éléphants femelles possèdent le même type d'orifice génital que les mammifères marins. Les damans possèdent quatre doigts aux membres antérieurs et trois aux membres postérieurs, tous pourvus de petits sabots, à l'exception du doigt postérieur externe qui porte une griffe. Des coussinets élastiques sous la plante des pieds font ventouse et permettent à l'animal de courir sur des parois rocheuses abruptes ou de se déplacer sur des branches d'arbre en toute sécurité. Comme chez l'éléphant...

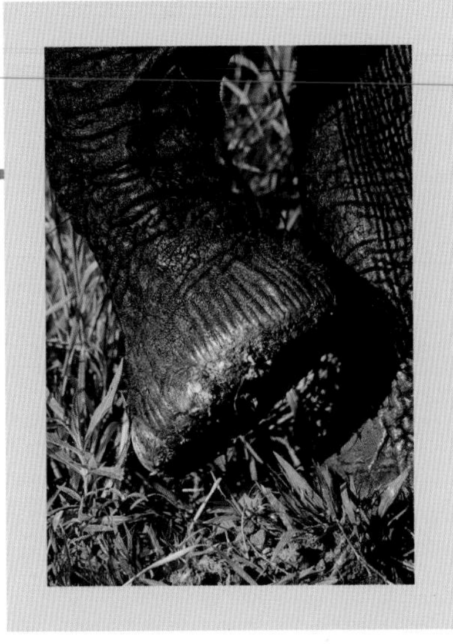

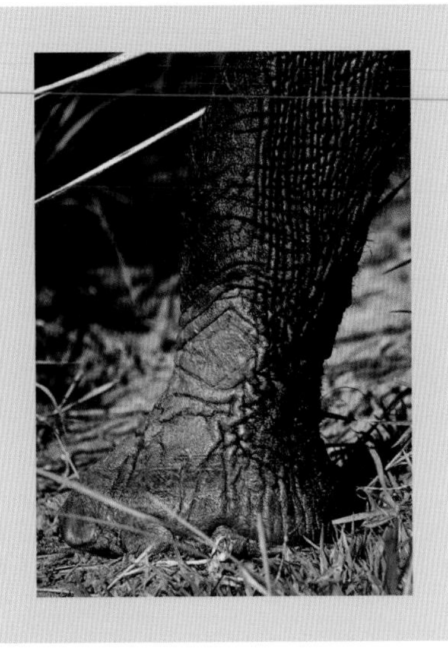

48 à gauche et droite
La sole plantaire, très ridée, est élastique et joue le rôle d'amortisseur. Elle mesure environ 60 cm de diamètre. Bien que la peau soit pleine de craquelures, il est rare que les épines la traversent. La marche de l'éléphant est étonnamment silencieuse.

ANATOMIE

La morphologie de l'éléphant d'Afrique et l'originalité de ses adaptations physiques, physiologiques et comportementales résultent d'une longue évolution.
La première caractéristique physique de l'éléphant est son gigantisme. Même si un autre mammifère terrestre – la girafe – le dépasse en taille, il est indubitablement le plus lourd. Seuls les grands mammifères marins – tels les baleines, rorquals ou cachalots – atteignent des proportions bien supérieures aux siennes.
La hauteur moyenne des mâles est de 3,30 mètres au garrot mais des mâles de 3,75 mètres ne sont pas rares. Les mâles pèsent en moyenne 4,5 à 5 tonnes avec certains individus dépassant les 6 tonnes, parfois même les 7. En 1955, un mâle mesurant 4 mètres au garrot et pesant près de 10 tonnes vivait en Angola. Les femelles sont plus petites avec une hauteur d'environ 3 mètres à l'épaule pour un poids de 3 à 4 tonnes. Les éléphants continuent de grandir durant toute leur vie ; plus un éléphant est vieux, plus il est grand. Il faut néanmoins nuancer cette affirmation en fonction du sexe : la croissance des femelles ralentit passé 25 ans pour s'interrompre ensuite presque totalement alors que les mâles continuent de grandir de façon perceptible.
Le gigantisme chez ces animaux pose un problème de locomotion. Lorsqu'un quadrupède grandit, ses membres doivent grossir pour soutenir le poids de son corps et lui permettre d'avancer. On a calculé que si les éléphants devaient atteindre le double de leur taille, leurs pattes seraient tellement larges qu'elles ne pourraient se loger sous l'animal ! On peut en fait considérer que les éléphants actuels ont atteint la taille maximale possible pour des animaux terrestres. Si les mammifères marins ont pu, eux, se développer de manière encore plus importante c'est parce que l'élément liquide dans lequel ils vivent résout le problème de la locomotion : l'eau de mer libère les cétacés géants de la force de gravité. Les reptiles du Secondaire, tels les brachiosaures, atteignaient des dimensions considérables – bien supérieures à celles des éléphants – avec des membres très courts par rapport à leur taille. Cela est sans doute lié au fait qu'ils fréquentaient des régions marécageuses où ils pouvaient se déplacer facilement, ne s'aventurant probablement jamais sur la terre ferme.
Malgré leur aspect primitif, les membres des éléphants témoignent d'un haut degré d'adaptation. Véritables colonnes, ils sont parfaitement adaptés pour soutenir le corps pesant. C'est surtout au niveau du pied que l'éléphant fait preuve d'originalité. Il a gardé de ses lointains ancêtres cinq doigts séparés se terminant par un petit sabot ou onglon. On considère en général que l'éléphant africain a quatre ongles sur les pattes avant et trois sur les pattes arrières, alors que l'éléphant d'Asie en a respectivement cinq et quatre. Cependant, les avis des spécialistes divergent, et il se peut que des différences existent également entre les individus de même genre.
Quand le pachyderme se déplace, seules les phalanges terminales prennent directement appui sur la terre ferme. L'éléphant est donc anatomiquement digitigrade, comme un chien ou un cheval – disposition a priori parfaitement inadaptée pour supporter un corps aussi massif. Mais cette caractéristique est compensée de manière ingénieuse par le développement, entre les doigts, d'un épais coussin élastique de fibres tendineuses noyées dans une graisse jaunâtre. L'ensemble de ce coussinet élastique se pose également sur le sol. La présence de cet amortisseur donne à l'animal une allure de plantigrade, en même temps

49 à gauche
Les éléphants de forêt ont des défenses plus droites et plus minces que celles des éléphants de savane. Leur stature est inférieure et leurs oreilles sont plus petites et plus rondes.

49 à droite
La trompe est composée d'un nombre impressionnant de muscles qui lui procurent une mobilité, une force et une habileté étonnantes.

qu'une démarche étonnamment souple. Cette « structure pneumatique » lui assure aussi une remarquable adhérence tout terrain. Lorsqu'il pèse de tout son poids sur un de ses membres, le coussinet amortisseur s'étale et la plante épouse parfaitement toutes les aspérités du sol, les déplacements sur les terrains meubles sont ainsi possibles sans risque d'enlisement. La surface portante est très grande – plus de 1 mètre. Le poids qui se répartit sur le sol ne dépasse donc pas 600 grammes au cm^2 et la marche de l'animal, même du plus gros, est très silencieuse. Si le bruit de branches cassées ne vous alertait pas, vous pourriez être surpris par l'arrivée d'un de ces pachydermes ! Semblable aux empreintes digitales de l'homme, le réseau de stries et de bosses laissé par les pas d'un éléphant est réellement distinctif. Il est ainsi possible de juger de l'âge d'un animal. Généralement, les plus jeunes éléphants ont des stries aux traits vifs et précis, les plus vieux des stries plus lisses et des talons usés. Des empreintes ovales allongées indiquent la présence d'un mâle adulte. Ces mâles laissent derrière eux une double empreinte typique car ils posent leurs pattes arrière légèrement à côté des marques de leurs pattes avant. Les femelles laissent des marques plus rondes, et posent précisément leurs pieds avant et arrière dans le même emplacement. La correspondance entre la taille de l'animal et la longueur de ses empreintes n'est précise que pour les animaux de moins de 20 ans.

Après sa grande taille, la deuxième caractéristique principale de l'éléphant, et sans doute la plus originale, est sa trompe. Si l'évolution a conduit cet herbivore vers le gigantisme, il a bien fallu qu'elle le dote en même temps d'un instrument lui permettant de brouter sans s'agenouiller. Ce trait anatomique particulier dépasse, dans ses multiples emplois, toutes les possibilités des membres des mammifères, y compris peut-être la main de l'homme. Elle est formée par l'allongement et la fusion de la lèvre supérieure et du nez.

Sa longueur peut atteindre 2,10 mètres. Presque aussi longue que l'éléphant est haut, celle-ci doit être légèrement courbée à son extrémité lorsqu'il se déplace. Même ainsi, cet appendice plissé en accordéon laisse régulièrement une trace, à intervalles réguliers, sur le sol. La trompe pèse lourd – autant que deux hommes adultes pour certains animaux – et on voit régulièrement des éléphants la jeter négligemment sur l'une de leurs défenses lorsqu'ils marchent ou qu'ils sont au repos. Son extrémité tactile porte deux lobes – l'éléphant d'Asie n'en a qu'un – utilisables comme des doigts. Grâce à cela, l'éléphant peut cueillir avec beaucoup de délicatesse une feuille ou une baie. Ajoutons que le sens du toucher est à cet endroit particulièrement exceptionnel.

Ce curieux appendice remplit énormément de fonctions. Sur le plan respiratoire, il permet notamment la conduction de l'air vers les fosses nasales. Il a un rôle important dans l'olfaction qui est particulièrement développée chez les Proboscidiens, contrairement à la vue et à l'ouïe. Un éléphant peut détecter des points d'eau éloignés d'une vingtaine de kilomètres, ou sentir de loin la réceptivité sexuelle de ses congénères. Il teste les différentes odeurs en plaçant l'extrémité de sa trompe dans sa bouche après avoir touché l'objet concerné. Il transfère ainsi l'odeur vers une petite cavité du palais qui elle-même conduit à l'organe de Jacobson, organe de l'odorat, présent chez tous les vertébrés. Quand les éléphants pressentent un danger, ils lèvent leur trompe dans la direction du vent pour détecter les effluves

50
Le derme des éléphants atteint plus de 2 cm d'épaisseur. Mais toute blessure profonde peut rapidement s'infecter car la peau commence à se refermer en surface, empêchant ainsi le drainage des impuretés.

51
L'éléphant met sa tête en arrière pour vider sa trompe des dernières gouttes d'eau. Il lui faut boire 10 à 20 fois le contenu de sa trompe pour étancher sa soif.

suspects. La trompe aide aussi les éléphants aveugles à se diriger avec assurance, ce qui étonne les scientifiques qui n'ont pas encore élucidé la totalité des mystères de ce fabuleux organe. La trompe possède aussi toutes les qualités d'un membre vigoureux, capable de déraciner un arbre de taille respectable. Un éléphant peut soulever en moyenne 4,5 pour cent de son poids avec sa trompe, ce qui donne près de 270 kilogrammes pour un mâle adulte. Mais, comme les humains, les éléphants n'ont pas tous les mêmes capacités physiques. Le pachyderme peut aussi se servir de sa trompe comme d'une arme et asséner des coups puissants, voire mortels, lorsqu'il est excité ou en état de légitime défense. Des carnivores trop hardis ont ainsi été attrapés puis fracassés contre le sol. La trompe sert également d'aspirateur, de pulvérisateur, de signal visuel ou d'avertisseur sonore. Les éléphants l'utilisent aussi pour caresser lors de l'accouplement, pour réconforter et aider les éléphanteaux, ou au contraire pour les punir.
La force et la mobilité de cet organe sont rendues possibles par la présence de très nombreux muscles. C'est en fait une structure extraordinairement complexe constituée de faisceaux musculaires longitudinaux et circulaires, et d'un réseau de fibres nerveuses. Le baron Cuvier estimait que la trompe comportait quarante mille muscles. Étonnamment, le corps humain en entier n'en a que six cent trente-neuf. La trompe a en fait six groupes importants de muscles qui se subdivisent eux-mêmes en plus de cent mille éléments. Les muscles du front, de la lèvre supérieure et de la joue, travaillent en synergie, lui donnant une souplesse et une mobilité étonnantes. Si la trompe constitue un outil extraordinaire, elle n'est pas absolument indispensable – aussi étonnant que cela puisse paraître. En effet, l'animal qui en est privé se trouve très nettement handicapé mais il n'est pas pour autant condamné à une mort certaine. Les éléphants à la trompe sectionnée sont assez nombreux et survivent bien ; ils s'agenouillent simplement pour manger ou boire.
L'évolution a doté l'éléphant d'une autre caractéristique : ses défenses. Ces incisives hypertrophiées dépourvues d'émail, sauf à leur extrémité, continuent à grandir durant toute la vie de l'animal. Leur croissance s'effectue à partir de la base, creuse dans la partie insérée dans les gencives et le crâne. Cette cavité est remplie d'un tissu fortement vascularisé et comportant des terminaisons nerveuses. L'ivoire est un mélange de dentine et de substances cartilagineuses incrustées de sel calciques. À Amboseli, les défenses apparaissent en moyenne à l'âge de 2 ans et 3 mois ; les pointes sortant un peu plus tôt chez le mâle que chez la femelle. Elles poussent de 10 centimètres par an en moyenne chez celui-ci et de 8 centimètres chez cette dernière. Il arrive que certains animaux en portent plus de deux !
La structure, la consistance de l'ivoire, de même que le poids et la taille des défenses varient en fonction du climat et de l'alimentation de l'animal, d'éventuelles déficiences minérales pouvant avoir des répercussions sur leur taille et leur forme. L'ivoire des éléphants vivant dans les zones arides est très friable, il se fendille ou se casse très facilement. Ainsi, les éléphants d'Etosha en Namibie ont généralement des défenses émoussées ou cassées. Certaines populations sont connues pour la grande taille de leurs défenses, comme autrefois celle du triangle de l'Obo en République centrafricaine ; d'autres parce qu'elles n'en possèdent pas comme quelques groupes en Zambie, au Mozambique ou au Mali, dans la boucle du fleuve

52
L'œil de l'éléphant paraît étonnamment petit par rapport à la taille globale de l'animal. De longs cils le protègent.

53
La couleur des éléphants dépend du sol de la région où ils vivent. Ils peuvent être presque blancs, gris, rouge ou bien encore orangés, comme ici après s'être roulés dans le sable ocre de la rivière.

Niger. Cette dernière population en est si souvent dépourvue que cette lacune a permis aux pachydermes de survivre face aux chasseurs d'ivoire. Les deux défenses d'un éléphant n'ont pas forcément la même forme, ni la même taille et leur degré d'usure varie selon que l'animal est « droitier » ou « gaucher ». Même si cela reste une exception en Afrique, l'absence de défenses semble devenir de plus en plus fréquente, constituant peut-être une réponse génétique à la prédilection des chasseurs pour les individus qui en sont pourvus. Ces animaux nés sans défenses ont tendance à être plus irascibles et agressifs que les autres, probable conséquence d'absence d'arme défensive. Cette caractéristique physique se transmet aux générations suivantes.

Les défenses atteignent en moyenne 30 à 40 kilogrammes chez le mâle et 10 kilogrammes pour la femelle. Dans le livre des records éléphantins, la plus lourde atteignait 105 kilogrammes et la plus longue 3,5 mètres. Le célèbre Ahmed au Kenya – mort en 1974 – arborait des défenses de 67 kilogrammes chacune. Les défenses de certains mâles peuvent atteindre une longueur telle qu'elles touchent le sol quand l'animal est debout, au repos. C'est alors un véritable handicap pour ces individus qui peuvent être gravement blessés ou même tués lors de combats avec des mâles plus jeunes, pourvus de défenses plus maniables. Les défenses servent d'outils pour arracher les écorces, déterrer les racines, ou creuser des puits pour trouver de l'eau, ou bien encore déplacer des obstacles. Elles deviennent de redoutables armes d'assaut et d'intimidation contre un ennemi ou un congénère. Elles peuvent d'ailleurs se fracturer lors d'un assaut trop violent ou d'une charge trop lourde. L'animal ressent alors des douleurs susceptibles de l'exciter et de le rendre dangereux. Les défenses peuvent aussi abriter des caries douloureuses !

La peau de l'éléphant est creusée de rides et de profonds sillons. Ceux-ci démultiplient considérablement la surface cutanée ce qui est un atout inestimable. En effet, la chaleur produite par l'activité métabolique doit être éliminée pour maintenir la température de l'animal à 36,5 °C. Cette chaleur se dissipe d'autant plus lentement que l'animal est grand car la surface du corps en contact avec l'air est, proportionnellement à sa masse, plus faible que chez un animal de petite taille. De plus, l'éléphant ne transpire pas. Sa peau, molle et souple, est sèche au toucher. Le pachyderme semble en fait dépourvu de glandes sudoripares. Les seules glandes visibles chez lui sont les glandes mammaires et les deux glandes temporales de chaque côté de la tête entre les yeux et les oreilles. Ces dernières pèsent environ 1,5 kilogramme chacune et produisent une sécrétion très odorante qui coule de chaque côté de la face.

Chez les adultes, le derme est presque nu, à l'exception de la trompe qui porte quelques crins piquants, et de la queue qui est pourvue de deux touffes de poils durs, gros et élastiques qui peuvent mesurer jusqu'à 1 mètre de long. On les utilise d'ailleurs parfois pour en faire des bracelets. Le rôle des poils ne semble pas très important chez l'éléphant, mais ils possèdent une grande sensibilité tactile. Les poils autour des yeux et des oreilles jouent un rôle de protection. Bien que l'éléphant soit adapté aux régions chaudes, et pourvu d'une mince couche de graisse sous-cutanée, il supporte aussi les faibles températures et peut vivre sans problème dans les régions montagneuses les plus froides. Même si la peau peut atteindre 2 ou 3 centimètres d'épaisseur sur le dos et sur les côtés, elle reste pourtant sensible, en particulier au soleil. Les piqûres de moustiques, de taons ou de tsé-tsé peuvent rendre l'animal très irascible et le faire saigner.

Chez l'éléphant de savane, les oreilles sont très grandes puisqu'au moins trois fois supérieures à celles de l'éléphant d'Asie. Elles présentent presque toujours des trous, des encoches et des entailles sur leur bord. Les veines y sont proéminentes et

54
Les pavillons auriculaires peuvent atteindre 1,80 m d'envergure. Ils jouent un rôle important dans la thermorégulation.

55
La charge des éléphants, ici celle d'un grand mâle, se limite généralement à une simple manœuvre d'intimidation, l'animal s'arrêtant à quelques mètres de son adversaire.

forment un dessin au tracé unique, ce qui permet d'identifier rapidement et de manière très sûre un individu. On observe tout d'abord la forme des oreilles et si les bords ne présentent aucune caractéristique reconnaissable, ce qui est très rare, on se réfère alors au dessin des veines.

Les pavillons auriculaires – qui peuvent atteindre 1,80 mètre d'envergure – jouent un rôle important dans la thermorégulation. Ils sont en effet irrigués par un réseau très dense de vaisseaux sanguins à travers lesquels les échanges circulatoires sont très rapides. Ils augmentent de près de 8 mètres la surface du corps d'un adulte, et jouent donc un grand rôle dans la dissipation de l'excédent de chaleur interne. Quand la température dépasse 25 °C et qu'il n'y a pas de vent, les éléphants se servent de leurs grandes oreilles comme d'éventails qu'ils agitent plus forts si la température est élevée. Lorsque la brise souffle, ces battements s'arrêtent et les éléphants se placent face au vent, oreilles déployées pour être mieux aérés. L'animal peut aussi les asperger d'eau ce qui facilite la baisse de la température de son corps en cas de grosses chaleurs. Les immenses oreilles de l'éléphant de savane sont donc des organes refroidisseurs très efficaces, indispensables pour supporter les climats chauds. De fait, les éléphants de forêt qui vivent dans des zones ombragées, ont des oreilles beaucoup plus petites.

L'éléphant a une tête énorme au front convexe, suffisamment solide pour supporter la trompe et le poids des défenses. Heureusement pour l'animal, les os de son crâne massif ont une structure spongieuse qui les allège. Certains sinus, tapissés par la muqueuse nasale, représentent chacun une cavité d'un quart de litre. Ces caractéristiques assurent la mobilité de la tête tout en offrant un volume important, nécessaire pour contenir les muscles de la trompe et du cou.

L'encéphale de l'éléphant pèse entre 4 et 6 kilogrammes soit quatre à cinq fois le poids de celui de l'homme. Comme chez ce dernier, il possède de nombreuses circonvolutions. Les dimensions et la structure du cerveau permettent de penser que l'éléphant a des possibilités considérables en matière de stockage et de mémorisation des informations. Le rapport entre le poids du cerveau et la masse corporelle est inférieur à celui du gorille ou du chimpanzé mais sa conséquence sur l'intelligence de l'animal n'est pas scientifiquement établie. Les spécialistes ont également tenté de calculer un indice d'intelligence, en établissant un rapport entre le poids de l'encéphale des mammifères actuels et celui des mammifères primitifs. Ils ont attribué un indice 14 aux sangliers, 48 aux babouins, 104 aux éléphants, 121 aux dauphins et 170 à l'homme. Cette hiérarchie est théorique mais correspond approximativement aux tests d'intelligence.

À la naissance, le cerveau de l'éléphanteau pèse 35 pour cent du poids de celui d'un adulte. Pour un bébé humain, le rapport est de 26 pour cent tandis que chez la plupart des autres mammifères, il atteint déjà 90 pour cent. Le bébé éléphant a donc devant lui un long développement tant physique que mental, fondamental pour son intelligence. Affirmer que les éléphants n'oublient jamais rien est bien entendu exagéré, mais ils ont en général une excellente mémoire, variable selon les individus.

Les yeux de l'éléphant paraissent petits par rapport à sa taille. Ils mesurent pourtant 4 centimètres de diamètre et sont bordés de longs cils. Ils peuvent exprimer toutes sortes d'émotions : peur, ennui, moquerie, hostilité ou combativité. L'acuité visuelle est assez médiocre et comparable à celle du cheval, comme l'ont montré des tests récents. Les yeux situés des deux côtés de la tête permettent à l'animal d'avoir un champ visuel très large qui s'étend à la fois vers le bas et vers les côtés. On rencontre des femelles-guide, aveugles, qui assument parfaitement le rôle de matriarche au sein de la harde.

56

Les deux défenses d'un éléphant n'ont pas forcément la même taille, et leur degré d'usure varie selon que l'animal est « droitier » ou « gaucher ».

57

Les femelles se reconnaissent entre autres à leur front presque à angle droit, alors que celui des mâles est arrondi.

58
L'éléphant utilise à la fois sa trompe et ses défenses pour arracher l'écorce des arbres.

59
La trompe joue de nombreux rôles et en premier celui de nez, pourvu de deux narines en son extrémité. Ces deux appendices sont préhensiles et ils confèrent une dextérité remarquable à la trompe. Un éléphant est capable d'attraper un seul brin d'herbe à la fois.

60
Lovée comme un serpent, la trompe repose sur la défense. Quand il somnole, l'éléphant adopte volontiers cette attitude.

61
La trompe joue aussi le rôle d'une « main » qui sert en particulier à se gratter l'oreille.

62
La réserve de Samburu, au Nord, est un endroit particulièrement favorable à l'observation des éléphants.

63
À la saison des pluies, les plaines d'Amboseli sont un inépuisable réservoir de fourrage pour les éléphants.

L'ADAPTATION AU MILIEU

L'éléphant n'est pas un vestige de la préhistoire condamné à l'extinction, comme le mammouth ou les dinosaures, voire comme certains animaux très spécifiques tel le panda géant, dépendant d'un seul type de nourriture. Cette espèce très vigoureuse et dynamique s'adapte à tous les milieux, des confins du désert au cœur de la forêt humide. Comme l'homme, l'éléphant n'est spécialisé ni dans un mode de vie ni dans un milieu particulier. C'est ainsi que l'un et l'autre ont colonisé tous les habitats qui étaient à leur disposition, aidés par leur étonnante faculté d'adaptation et par leur intelligence.
Les pachydermes vivent principalement dans les grandes savanes herbeuses, dans les steppes arbustives ou dans les forêts qui ont sans doute été leur habitat primitif. Mais on les rencontre aussi dans des zones désertiques comme en Namibie, dans le Skeleton Coast Park, dans le désert du Namib. Ils ont également vécu sur le plateau pratiquement désertique d'El-Aagher en Mauritanie ; ces animaux s'étaient adaptés aux maigres ressources et étaient de petite taille. Les éléphants peuvent fréquenter les plus hautes montagnes d'Afrique – mont Cameroun ou mont Kilimandjaro – où ils ont déjà été observés jusqu'à plus de 3 500 mètres d'altitude. Il y a environ deux mille ans, des éléphants vivaient encore en Afrique du Nord, dans les régions montagneuses. Contrairement à ce que pourrait laisser croire leur apparence, ils peuvent très bien escalader des pentes raides que l'homme lui-même a beaucoup de difficultés à gravir. La précision de leurs mouvements et leur équilibre sont alors étonnants. Lorsqu'ils escaladent le flanc des montagnes, ils empruntent le versant le moins accidenté, tout en traçant des sentiers avec leurs pieds. Ils accomplissent de véritables prodiges grâce à leur ingéniosité et leur intelligence. Quand le terrain ne leur inspire pas confiance, ils progressent avec précaution, palpant constamment la terre avec leur trompe, ou avec une patte pour en éprouver la résistance ; puis ils se risquent à avancer les trois autres. Leurs membres sont articulés au niveau du genou et du poignet ce qui fait d'eux d'excellents marcheurs en montagne. Ils éprouvent par contre de graves difficultés à la descente car leurs membres antérieurs qui supportent le poids de la nuque, de la tête, de la trompe et des défenses, sont particulièrement sollicités. Ils se laissent parfois glisser sur l'arrière-train dans les descentes abruptes.
Nous avons tout particulièrement observé les éléphants au Kenya, dans trois milieux différents. D'abord dans le parc national d'Amboseli qui se trouve au pied du Kilimandjaro, au sud du Kenya. Sur les 392 km² du parc entourés d'une réserve où les Massaï font paître leurs troupeaux, les périodes de sécheresse alternent avec des périodes de forte humidité, surtout ces dernières années. La montagne a tendance à attirer la majeure partie des pluies, mais l'eau est présente dans le parc sous forme de mares et de marais, alimentés par des sources d'eau vive, très claire, filtrée par les laves poreuses. Le sous-sol du bassin d'Amboseli est très fortement concentré en sels minéraux. Seules quelques rares espèces de plantes supportant le sel purent se développer au moment de l'assèchement du bassin principal, il y a cinq ou dix mille ans. Une partie de ces sels a pénétré dans le sous-sol, drainée par l'eau de pluie au fil des ans, permettant ainsi le développement des arbres. Néanmoins présents dans la nappe phréatique, ils continuent d'influencer l'écologie de toute cette zone, car ils remontent périodiquement

64
Dans le cratère du Ngorongoro, plusieurs mâles aux défenses impressionnantes fréquentent la forêt de Leraï et ses acacias couleur jaune or, plus connus comme arbres à fièvre.

65
Les éléphants sont des animaux particulièrement sociaux. Ils prennent plaisir à se rouler tous ensemble dans le sable, au bord de la rivière Ewaso Ngiro.

66-67
Le Kilimandjaro domine le paysage d'Amboseli et influence tout naturellement son écologie. Les 700 éléphants du parc national ne se concentrent pas tous dans le bassin central. Ils migrent régulièrement à l'extérieur, en particulier sur les flancs de la montagne.

à la surface, faisant périr la végétation. Les sept cents éléphants du parc ne se concentrent pas tous au même moment dans le bassin central, mais opèrent des migrations à l'intérieur et à l'extérieur. Leur biologie a été longuement étudiée par l'Américaine Cynthia Moss et son équipe, depuis près de trente ans. Au sud d'Amboseli, d'autres éléphants vivent dans les forêts, sur les pentes du Kilimandjaro. Ils ne viennent à Amboseli que pour de brèves visites, souvent à la saison des pluies, et ne restent que quelques jours, attirés sans doute par le sel du bassin, fort rare sur les pentes montagneuses. Ils n'ont ni le même comportement ni la même apparence que ceux du parc : plus petits et plus maigres, ils se distinguent par leur face étroite, leur tête recouverte de poils, leurs petites oreilles triangulaires, leurs défenses de travers et biscornues. Leur queue tire-bouchonnée ou tordue se termine rarement par des poils. Il s'agit de deux populations distinctes. Celle des pentes du Kilimandjaro a dû être séparée de celle du parc suffisamment longtemps pour que sa taille et son apparence physique se modifient, sans doute pour une meilleure adaptation à la vie sur ces pentes montagneuses boisées. Les éléphants d'Amboseli forment donc une population indépendante, peu en contact avec ceux du sud et de l'est, et particulièrement intéressante à étudier.
Un autre lieu favorable à l'observation des éléphants se situe au nord du Kenya. Il s'agit de l'ensemble formé par les deux réserves mitoyennes de Buffalo Springs et de Samburu, séparées par la rivière Ewaso Ngiro. Elles peuvent attirer jusqu'à sept cents éléphants en saison sèche. La végétation est ici complètement adaptée au climat très sec. Une multitude d'épineux d'espèces et de tailles variables, aux épines acérées, forment un biotope hostile à l'homme, d'où son nom de « nyika » qui signifie sauvage et désert. Au milieu de cette végétation s'élèvent les colonnes ocre, brunes ou rouges des termitières géantes. D'immenses palmiers doums *(Hyphaene coriacea)* avec leurs troncs spectaculaires dominent la végétation au bord des rivières tandis que l'acacia parasol *(acacia tortilis)* est omniprésent. Au loin, de grandes collines aplaties forment une toile de fond au large ruban vert correspondant au chemin de la rivière ; peu profonde, celle-ci n'est une frontière entre les deux réserves que sur la carte, les animaux la traversent aisément. Ses berges sableuses, couleur ocre, permettent aux crocodiles de se dorer au soleil. C'est une véritable oasis dans l'aridité du paysage.
Enfin, nous avons également vécu quelque temps avec les pachydermes de la réserve de Masai-Mara, réserve qui ne forme qu'un seul écosystème avec le parc national du Serengeti et du Ngorongoro, en Tanzanie. Grandes étendues de pâturages semées d'acacias isolés et zones de buissons aux collines bien rondes caractérisent le paysage. Cette réserve est délimitée à l'est par les collines de Loita et à l'ouest par l'escarpement d'Isuria. L'altitude varie de 1 500 à 1 600 mètres, et la température reste modérée. La rivière Mara et son affluent la Talek coulent en toute saison, et des marais se maintiennent même en saison sèche, comme ceux de Musiara qui accueillent alors les éléphants. Créée en 1950, la réserve a été étendue en 1961 et portée à 1 510 km² dont 650 totalement protégés ; sur l'autre partie, appelée zone des ranchs, les pasteurs Massaï pratiquent l'élevage, installent des villages. Autrefois résidences temporaires, ces villages semblent aujourd'hui se stabiliser. Les quelque mille cinq cents éléphants vivant dans la région sont assez faciles à observer.

68
En dehors des migrations saisonnières, les éléphants se déplacent quotidiennement et passent de préférence la nuit dans les zones forestières.

69
La matriarche de la troupe conduit le déplacement, ses compagnes la suivent à la queue leu leu. Elles empruntent régulièrement les pistes de la réserve de Samburu.

70 et 71
Pour gratter un endroit que sa trompe ne peut atteindre,
l'éléphant utilise un tronc d'arbre,
un rocher ou bien une termitière.

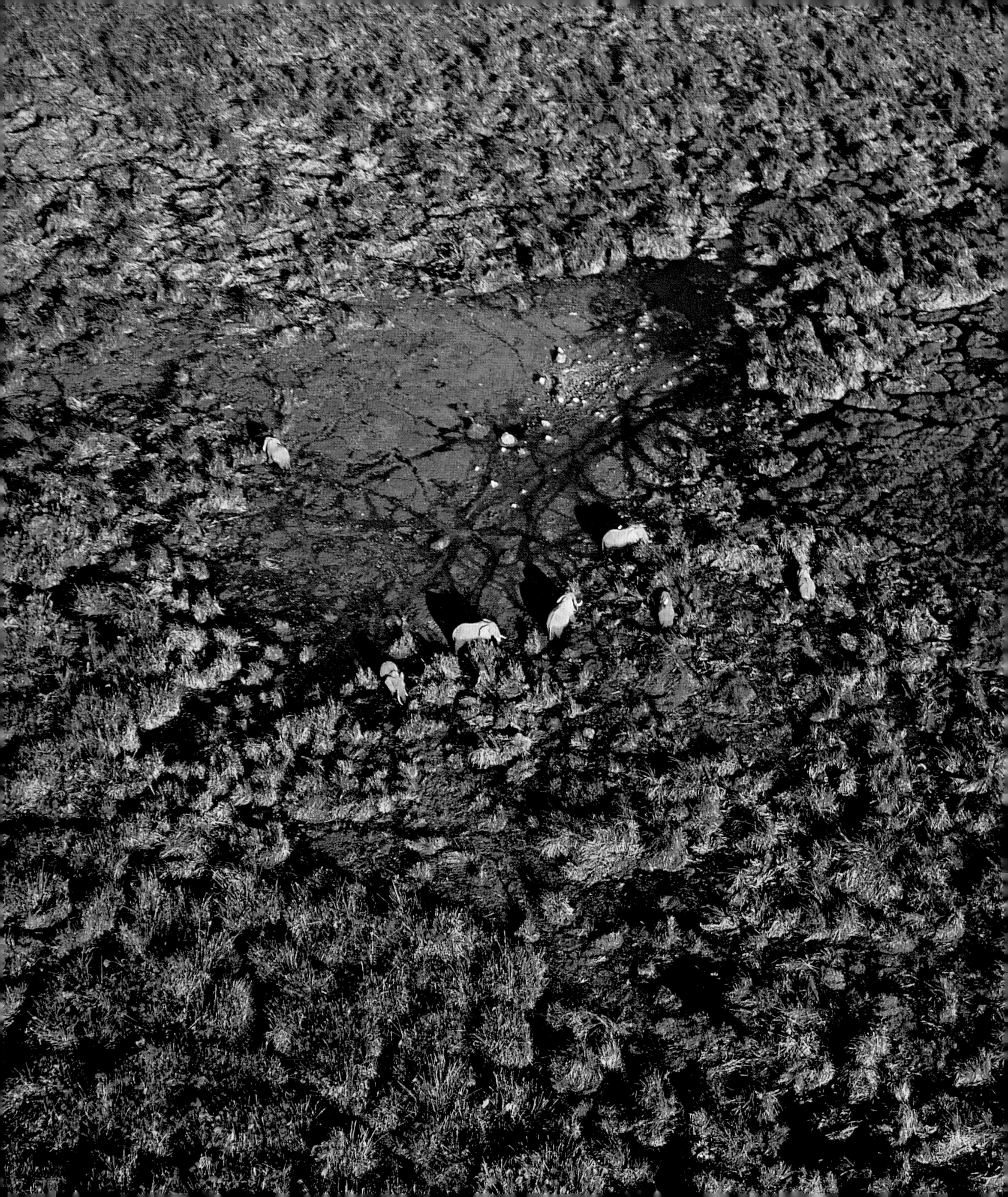

72 et 73
L'éléphant n'est inféodé ni à un mode de vie ni à un milieu particulier. Il peut vivre dans les marais comme ici, à Amboseli, mais aussi à la limite des déserts. La pluie qui tombe du Kilimandjaro disparaît dans des nappes souterraines ou bien ressort à la surface du parc sous forme de marais, de mares, de sources, de ruisseaux, fournissant à la fois nourriture et eau aux différentes espèces animales.

74-75
De nombreux oiseaux vivent dans le parc d'Amboseli, ici des flamants nains.

76

L'éléphant modifie profondément le milieu qui l'entoure en détruisant de nombreux arbres, lorsqu'il en arrache l'écorce par exemple.

77

Parallèlement à la destruction de certains arbres, l'éléphant contribue au renouvellement d'autres espèces, comme celle du palmier doum, dont il disperse les graines.

78-79

Les hérons garde-bœuf accompagnent les éléphants mais ne nettoient pas leur peau des impuretés comme le font les pique-bœuf pour d'autres herbivores.

80

La brume du petit matin disparaît rapidement sur la réserve de Masai-Mara où les éléphants se plaisent à fréquenter les marais de Musiara.

81

Un éléphant mâle s'arrose de poussière dans les acacias, au pied du Kilimandjaro.

UNE SOCIÉTÉ MATRIARCALE

82 à gauche
De grands éléphanteaux jouent auprès de leurs mères.

82 à droite
Les groupes d'éléphants que l'on croise dans la savane sont essentiellement constitués de femelles et de leurs petits.

84
La matriarche, en tête de la troupe, donne le signal de la marche.

85
Les femelles et leurs jeunes avancent d'un bon pas vers le point d'eau, et s'arrosent de poussière.

Nous sommes à Amboseli depuis plusieurs jours. Nous commençons à nous familiariser avec les différentes familles d'éléphants vivant dans la zone centrale du parc, et à connaître leurs habitudes. Nous suivons particulièrement l'une d'entre elles qui a un parcours régulier depuis que nous l'observons. Au petit matin, nous nous plaçons avec notre 4 X 4 à l'endroit où elle sort habituellement de la forêt d'acacias qui lui sert de refuge pour la nuit, car nous ne pouvons pas aller à sa rencontre, faute de piste. En l'attendant, nous regardons aux jumelles deux grands mâles solitaires qui progressent dans la plaine derrière nous. Enfin, un nuage de poussière nous indique l'arrivée de la harde. Les pachydermes avancent silencieusement, d'un pas lent mais déterminé. En tête, vient une vieille femelle toute ridée aux défenses longues et fines, légèrement recourbées vers le haut. Derrière elle avancent plusieurs femelles adultes accompagnées de leurs jeunes. Le groupe est assez compact. Une fois arrivés dans la plaine herbeuse d'où émergent de petits buissons, les pachydermes se mettent à manger tout en se dispersant un peu. Nous les regardons se déplacer tranquillement de broussailles en broussailles, et consommer un maximum de nourriture. Cela dure près de deux heures. Ils passent ensuite dans une zone desséchée, sans végétation. Là, ils s'arrêtent un moment pour se poudrer de poussière tête et corps à l'aide de leur trompe – ils sont alors gris clair comme la couleur du sol. Le groupe s'est resserré pendant cet arrosage collectif, et certains se touchent avec leur trompe. Des adultes viennent frotter leur tête contre l'épaule de la vieille femelle. Soudain, celle-ci agite ses oreilles, comme un signal, et tout le groupe repart à un rythme beaucoup plus soutenu cette fois. Plus question de s'arrêter pour manger. Tous descendent et se suivent en file, vers l'eau d'un marais à deux kilomètres de là... Les plus jeunes suivent comme ils peuvent, courant presque sur leurs petites pattes. Le pont qui permet de traverser le marais est en vue. À côté, un groupe d'éléphants est déjà en train de boire. Un peu plus loin, sur la rive, un deuxième groupe se tient lui aussi près de l'eau. Lorsque la harde arrive à la hauteur du premier groupe, des trompes se tendent de part et d'autre, pour un salut discret. Mais la matriarche esquisse à peine un signe, et poursuit sa route en direction de l'autre groupe. Elle émet soudain un barrissement assez fort, comme un grondement. Les éléphants au bord du marais semblent excités et dressent les oreilles. Ils répondent bruyamment à son appel. Tous ont de grands écoulements de part et d'autre de la tête. La matriarche accélère l'allure. Les deux groupes sont maintenant en contact. Les éléphants crient, battent des oreilles ; chacun tend sa trompe pour effleurer les joues et les écoulements de son voisin. Certaines femelles enlacent leur trompe, tandis que d'autres croisent leurs défenses. C'est une véritable bousculade, très bruyante. Beaucoup d'animaux urinent, ou laissent tomber leurs excréments au sol en même temps. La matriarche s'est dirigée vers la plus vieille femelle de l'autre groupe, et leurs échanges se prolongent. Combien de temps tout cela a-t-il duré ? Peut-être cinq ou six minutes mais le spectacle est fascinant. Enfin, le calme revient. Les femelles se mettent à boire, leurs petits entre les pattes. Des jeunes commencent à jouer. Il est maintenant difficile de savoir à quelle harde appartient l'un ou l'autre des pachydermes. Les deux groupes se sont mélangés. Les éléphants pénètrent ensuite ensemble dans les marais où ils restent quelques heures, évoluant entre la végétation assez dense. Ils se nourrissent longuement. Quand ils ressortent, il fait encore très chaud. Ils s'éloignent de quelques centaines de mètres, puis s'arrêtent et s'arrosent de poussière.

86-87
La matriarche garde en mémoire l'emplacement des points d'eau disponibles toute l'année, sur l'ensemble du domaine de la troupe.

Un très jeune éléphanteau s'allonge, mais il n'est pas le seul. Quatre autres jeunes s'assoient puis se laissent tomber eux aussi sur le côté. Les femelles adultes les entourent, constituant une forme de rempart autour d'eux. Elles commencent à somnoler, trompes relâchées vers le sol. Seul un adolescent continue à s'activer, jouant avec une touffe de plantes des marais. Puis il abandonne, et vient poser sa trompe sur un de ses compagnons. Tout est calme. La sieste dure ainsi près d'une heure. Seuls les plus petits dorment profondément. De temps en temps, certaines femelles changent la position de leur trompe, l'enroulant ou la posant sur une défense. Des adultes agitent leurs oreilles et ouvrent les yeux. Enfin, une première femelle commence à se poudrer de poussière. Les autres l'imitent bientôt, détruisant le cercle protecteur. Les petits se lèvent à leur tour. Deux jeunes s'affrontent tandis que le reste de la troupe se met à uriner et à déféquer. Puis, la matriarche émet un long grondement sourd, dresse les oreilles, les fait claquer contre son cou et ses épaules, avant de les laisser retomber. Elle se met en marche, suivie aussitôt par l'autre vieille femelle. C'est le signal attendu, et tous leur emboîtent le pas. La matriarche lève la trompe pour humer les différentes odeurs. En colonne par deux ou trois, ils partent en direction des zones boisées où ils vont passer la nuit.

88
La troupe s'est arrêtée et attend l'arrivée d'un autre groupe qui lui est proche. À certaines périodes de l'année, les deux troupes se fondront provisoirement en une seule.

89
Les femelles de la troupe sont toutes apparentées : sœurs, cousines, tantes, mères…

LA SAGESSE DES MATRIARCHES

En brousse, on croise régulièrement de petits groupes d'éléphants. Les premières fois, on ne prête guère attention au fait qu'il n'y ait, en général, aucun mâle adulte en leur sein. Certains groupes sont réduits au minimum – une femelle avec son dernier-né et son jeune plus âgé –, mais le plus souvent, ils comptent plusieurs femelles adultes avec leur progéniture. Les études réalisées sur le terrain dans les années soixante par Ian Douglas-Hamilton en particulier, ont révélé que ces femelles adultes, vivant ensemble, sont toutes apparentées entre elles – sœurs, tantes, cousines, filles. Le contact physique semble très important dans la vie sociale des éléphants ; ils se touchent souvent avec la trompe, s'appuient ou se frottent les uns contre les autres. Durant les déplacements, les arrêts, les périodes de repos, ils restent en formation serrée. Il y a, la plupart du temps, synchronisation des activités : tous les membres du groupe vaquent aux mêmes occupations en même temps, qu'il s'agisse de boire, de manger ou de se reposer. Lorsqu'ils se nourrissent, ils s'éloignent un peu les uns des autres, pour certains jusqu'à quelques centaines de mètres. Si la végétation est touffue, ils restent en contact grâce à des grondements vocaux. Les femelles veillent jalousement sur la sécurité des éléphanteaux. La surveillance et l'éducation sont assurées collectivement ; les femelles immatures s'occupent plus particulièrement des petits, ce qui contribue très tôt à développer les liens entre les différentes générations. En regardant évoluer ces familles, on se surprend à attribuer des qualités humaines aux éléphants. Tendresse et entraide sont sans doute les premiers mots qui viennent à l'esprit. La solidarité et la coopération envers les individus les plus vulnérables – les jeunes, les malades ou les blessés – se manifestent pleinement. Quand l'un d'eux est retardé dans ses déplacements, le reste du groupe l'attend et même, s'il le faut, l'aide à avancer. La dignité, la compassion, la capacité de chacun à toujours contrôler sa force quand il joue, la curiosité sont d'autres caractéristiques communes aux pachydermes. L'harmonie règne dans les familles : il n'y a pas de compétition pour la nourriture ou de dispute pour l'eau. Mais tout peut changer en cas de désorganisation : mort d'une matriarche ou conséquence d'un braconnage intensif. Sinon, seuls les mâles en musth peuvent faire preuve d'une grande agressivité.

La cérémonie du salut est l'image même de ce qui rend les éléphants si passionnants et si attachants. Les membres d'une même famille se saluent souvent, de manière peu marquée la plupart du temps. Par contre, lorsqu'ils se séparent pour une raison ou une autre, les retrouvailles sont alors l'occasion de manifestations très joyeuses, « un salut d'une grande ferveur ». Plus la séparation aura duré, plus l'énergie et l'enthousiasme réservés à ces effusions seront intenses, la cérémonie pouvant durer plus de dix minutes. Les pachydermes semblent éprouver une sorte de joie, une joie éléphantine qui joue un grand rôle dans leur système social. Les sécrétions temporales sont également très importantes dans le processus de reconnaissance entre individus.

90
Durant les déplacements, les arrêts, les périodes de repos, les membres de la troupe restent en formation serrée. S'ils s'éloignent, et ne sont plus directement à portée de vue, ils communiquent entre eux par des grondements vocaux ou par infrasons.

Une famille est guidée par la plus âgée de ses femelles, la matriarche. Lorsqu'elle s'arrête, tout le groupe s'immobilise. Si elle décide de repartir, un hochement énergique de la tête et de la trompe, accompagné d'un claquement caractéristique des oreilles vers l'avant, fait repartir toute la troupe. La matriarche est obéie aveuglément par ses compagnes. Son rôle est primordial en cas de danger. Les autres l'imitent en tout point, fuite ou charge. Dans ce cas, les femelles composent en général un cercle défensif – trompe battant les buissons, tête ballante – et déchirent l'air de leurs cris et de leurs barrissements. Les jeunes sont alors rassemblés au centre, dissimulés par la forêt de pattes des adultes.

Les liens entre les femelles d'un groupe sont très puissants. Elles ne se quittent pas durant toute leur vie, et peuvent passer ensemble plus de cinquante ans, parfois même plus de soixante. Le respect des liens du groupe et de ses règles est remarquable.

La matriarche connaît parfaitement le domaine vital de la troupe – on ne peut pas parler dans ce cas de territoire car cet espace n'est pas défendu contre les intrusions d'autres troupes. Elle sait où trouver les zones de nourriture les plus favorables selon la saison, les derniers points d'eau qui subsistent en cas de sécheresse, les lieux dangereux, les chemins empruntés depuis des temps immémoriaux par ses ancêtres. Les jeunes femelles de sa famille vont acquérir tout ce savoir, cette expérience, jour après jour, par imitation et mémorisation.

Si l'on compare la société des éléphants avec celle des primates, généralement considérée comme hautement élaborée, le point commun est qu'une femelle passe toute sa vie dans son groupe de naissance, tandis qu'un mâle le quitte une fois arrivé à maturité. Mais la grande différence vient des relations qu'établit un individu avec l'extérieur. Chez les primates, les relations s'étendent rarement au-delà de son groupe de naissance. Dans la société des éléphants, chaque individu a des relations sociales en dehors de sa famille. Les recherches menées à Amboseli au Kenya, ou à Manyara en Tanzanie, ont montré qu'une famille donnée entretient des liens privilégiés avec certains groupes d'éléphants qui vivent dans la même région géographique. Les scientifiques, comme Cynthia Moss, les ont baptisés « groupes familiers » ou « groupes alliés ». Les rencontres entre groupes familiers sont tout aussi joyeuses que s'il s'agissait de parents proches. Les jeunes sont heureux de retrouver des camarades de jeux. Ces groupes peuvent rester à proximité les uns des autres, ou bien se séparer pendant plusieurs semaines mais au final, ils sont souvent en contact. Les différentes observations sur le terrain laissent penser que cette familiarité provient sans doute des liens de parenté existant entre certaines femelles de ces groupes. Ces derniers font partie d'un ensemble plus vaste, appelé « clan » par les Anglo-Saxons, qui réunit tous les animaux d'une région donnée, susceptibles de se reproduire entre eux. L'espace vital du clan est défini par des limites naturelles ou artificielles, et englobe tout ce dont ses membres ont besoin : pâturages, points d'eau, salines. Si tous les éléphants du clan se saluent, la nature et l'intensité de ce salut dépendent de l'identité des bêtes et des liens qui les unissent. Si deux familles « étrangères » se rencontrent au pâturage, le salut va se réduire au strict minimum. Seuls les jeunes les plus expansifs glisseront

91
Les adolescents des deux sexes jouent ensemble au bord de la rivière Ewaso Ngiro.

peut-être l'extrémité de leur trompe dans la bouche de l'autre, tandis que les adultes se croiseront en silence.

Le nombre d'individus composant une troupe est loin d'être constant. Donner une taille moyenne paraît assez difficile. Les chiffres le plus souvent avancés sont de trois à quinze individus. Dans le parc d'Amboseli, par exemple, sur les huit cents éléphants recensés, cent soixante sont des mâles indépendants. Les autres sont regroupés en cinquante familles d'une douzaine d'animaux chacune. Plusieurs chercheurs ont travaillé sur la taille des troupes dans diverses régions d'Afrique. Ils ont pu constater que le type de milieu – forêt ou savane – influence les valeurs, mais également la pression du braconnage. À cause de ce dernier, des études effectuées il y a vingt ans sont devenues complètement caduques, soit à cause de la disparition de la plupart des éléphants, soit à cause de la recomposition des troupeaux.

Le degré de stabilité des familles dépend des conditions géographiques, et des particularités liées aux caractères des éléphants eux-mêmes, qui sont tous différents. Les familles n'ont pas le même comportement à Manyara, à Amboseli ou au Zimbabwe en raison de données écologiques particulières. À Amboseli, par exemple, les familles se regroupent en vastes troupeaux lorsque les conditions le permettent. Ce phénomène s'accompagne d'une multiplication des échanges sociaux. Les jeunes mâles se mettent en quête de leurs congénères dans les familles qu'ils connaissent le moins afin de jouer et de confronter leurs forces. De leur côté, les femelles adultes testent leur statut de dominance – en menaçant, parfois même en chassant d'autres femelles –, et renouent d'anciens contacts ou en établissent d'autres. Les éléphants paraissent affectionner ces vastes troupeaux.

La stabilité des familles dépend de la pression du braconnage. Les braconniers ont vite compris le rôle de la matriarche, et concentrent en général leurs attaques sur elle. Sa famille devient alors totalement vulnérable et désorganisée par l'absence de chef. Quand la matriarche meurt, les liens entre les femelles peuvent se relâcher, et il arrive que la famille éclate. À long terme, le braconnage entraîne souvent un manque de femelles âgées dans les populations, ce qui conduit des femelles manquant d'expérience à prendre la direction de familles. Finalement, du fait de la désorganisation des troupeaux, beaucoup de jeunes n'arrivent pas à maturité. On constate également que dans certaines régions de savanes très braconnées, les éléphants restants se regroupent en grosses unités, parfois d'une centaine de têtes, et n'osent plus se déplacer en petits groupes. Ils pensent sans doute que leur union les protégera contre les braconniers, à moins que les jeunes femelles qui dirigent ces familles ne préfèrent se regrouper à cause de leur inexpérience. D'autres facteurs favorisent l'instabilité d'une famille : sa taille – au-delà d'un certain nombre d'individus, la recherche d'une nourriture suffisante est plus difficile –, l'étroitesse des liens entre ses divers membres, la présence, ou non, en son sein d'orphelins, la mort de sa matriarche. Tous ces facteurs peuvent se combiner. Les causes les plus répandues de scission sont de nature écologique. Une sécheresse sévère peut entraîner la partition de familles pourtant très stables. Les fusions qui se produisent pendant les mois humides où la nourriture est abondante, peuvent rester temporaires ou devenir permanentes.

92
Les grands éléphanteaux jouent dès qu'ils en ont l'occasion. Ils mesurent leurs forces respectives lors de joutes sans danger.

93
L'éléphant est friand des fruits du palmier doum. Il chasse les babouins qui sont en train d'en manger.

LE LANGAGE DES ÉLÉPHANTS

Les éléphants communiquent entre eux par toute une série de signaux sonores, de mimiques, de gestes et d'attitudes.

Les barrissements sont les signaux sonores les plus connus. Après un séjour en Afrique, nul ne peut les oublier. Lorsque l'animal barrit, l'air vibre au passage des ondes sonores à travers la trompe qui fait office de caisse de résonance. Les sons, émis par le larynx, sont renforcés et modulés dans la trompe. Les éléphants peuvent boucher totalement ou partiellement son ouverture à l'aide de leurs deux « lèvres »... La mince cloison fibreuse qui sépare les deux conduits respiratoires se termine 10 à 13 centimètres avant l'extrémité de la trompe et renforce ces modulations sonores. Le barrissement exprime toutes sortes de sentiments ou accompagne certaines situations. Il peut s'agir d'un coup de trompette avertisseur, d'un grondement de joie pour saluer un congénère lors des retrouvailles d'un groupe, d'un son guttural qui traduit la douleur. Il peut exprimer aussi la peur ou la colère avant une charge. De faibles cris aigus ou plaintifs traduisent l'isolement d'un individu. La gamme des sons audibles est donc très riche. Mais la communication sonore entre les éléphants ne s'arrête pas là. Nombre d'observateurs ont perçu des phénomènes inexpliqués. Certains d'entre eux, par exemple, sentaient une sorte de vibration émanant des éléphants, alors qu'ils ne discernaient aucun bruit ; par ailleurs, d'autres animaux se figeaient alors d'un coup sans raison apparente. Comment expliquer également certains comportements synchronisés dans des groupes éloignés les uns des autres ? Une chercheuse américaine, Kate Payne, fit une découverte très importante dans le début des années quatre-vingt. Après avoir étudié pendant douze ans la communication chez les baleines, elle s'intéressa aux éléphants d'Asie du zoo de Portland dans l'Oregon. Elle put constater qu'ils communiquaient sur des fréquences très basses, inaudibles pour l'oreille humaine. Pour « entendre » ces sons, elle dut les enregistrer sur bande magnétique, et repasser celle-ci à une vitesse dix fois supérieure. Cette expérience fut confirmée par des enregistrements Amboseli. L'oreille humaine ne perçoit que des fréquences supérieures à 20 hertz. Or, les éléphants émettent des infrasons sur des fréquences variant de 5 à 28 hertz ; une grande partie d'entre eux ne nous sont donc pas accessibles. L'éléphant devint ainsi le premier mammifère terrestre connu à émettre des infrasons. On découvrira plus tard que l'hippopotame communique lui aussi de la même façon. À l'inverse, des tests effectués au Kansas ont montré que les éléphants ne sont pas capables de percevoir des fréquences supérieures à 12 000 hertz. La limite pour les chauves-souris, par exemple, atteint les 80 000 hertz, pour les chiens et les singes 40 000 hertz et pour les hommes 20 000 hertz.

À Amboseli, Joyce Poole a approfondi les découvertes de Kate Payne. Cette spécialiste s'est particulièrement intéressée au contenu des vocalisations, aux messages ainsi transmis, et à leur influence sur le comportement des individus. Elle a pu enregistrer plus de vingt-cinq signaux différents utilisés dans des contextes particuliers. Les infrasons portent sur des distances plus grandes, et sont moins affectés par la présence d'obstacles que les fréquences élevées. Dans des conditions normales, les éléphants peuvent communiquer à près de 4 kilomètres de distance les uns des autres. Mais certains infrasons enregistrés à Amboseli avaient une portée de 10 kilomètres pour une puissance de 115 décibels. Le soir, la température de l'air à 300 mètres d'altitude commenceà s'inverser, ce qui entraîne une réflexion vers le sol des sons basses fréquences au lieu de leur dissipation normale dans les airs. De manière simple, c'est au moment du crépuscule que les éléphants peuvent se « parler silencieusement » sur de plus grandes distances. Les recherches de Kate Payne sur le terrain ont montré qu'ils se « parlent » ainsi le plus souvent en fin d'après-midi.

Le potentiel extraordinaire des infrasons se remarque par la soudaine réaction des éléphants qui dressent la tête alors qu'ils

94
Ce mâle est en musth – le rut des éléphants – et tout son corps trahit son état.

95
Lorsqu'il charge, l'éléphant écarte ses oreilles afin d'augmenter l'impression de puissance qu'il dégage.

96
Les femelles ont senti un danger. Toute la troupe s'est immobilisée, levant la trompe dans la direction du vent.

97
La position de la trompe est un langage. Si l'éléphant la relève en repliant plus ou moins son extrémité, il exprime perplexité et indécision.

étaient l'instant d'avant tranquillement en train de boire, de se baigner ou de manger ; ils ont entendu un signal les avertissant d'un danger ou ont simplement capté les messages d'œstrus d'une femelle. On a ainsi pu expliquer bien des facteurs étonnants : comment les éléphants restent en contact à distance, la coordination des déplacements et des comportements de groupes espacés les uns des autres, et comment certains abattages de familles au Zimbabwe sont connus d'autres troupes éloignées du lieu du massacre, ce qui les affole alors complètement. Les infrasons portent la communication sociale à des niveaux auparavant insoupçonnés au royaume des animaux. Les liens entre les groupes sont non seulement maintenus, mais consolident fortement les relations sociales ; ils réduisent les pertes d'énergie et le temps passé à tenter de rester ensemble, lors des déplacements importants.

D'autres tests ont montré que les éléphants semblent incapables de reconnaître la provenance des sons. Ils passent même à proximité de sources sonores bien dissimulées sans pouvoir les localiser. En revanche, ils savent très bien distinguer sonorités, musiques et sons.

Les mimiques, les attitudes et les différentes gestuelles sont une autre forme de communication. La position de la trompe par exemple est très significative. Si l'animal la dresse vers le haut ou la tend vers l'avant, il est en alerte ; s'il la relève, plus ou moins repliée à son extrémité, il exprime perplexité et indécision ; s'il l'abaisse en la tortillant d'un côté et de l'autre, un conflit entre crainte et curiosité l'habite. En principe, une charge, trompe tendue vers l'avant, est synonyme de bluff. Lorsque des éléphants se rencontrent, la trompe leur sert de moyen de reconnaissance, et d'apaisement mutuel. Elle est également un facteur de cohésion sociale entre les membres d'un même groupe familial.

Les oreilles sont elles aussi un moyen d'expression, tant visuel que sonore. Leur position ouverte, semi-repliée ou plaquée contre le cou, traduit le degré d'excitation ou d'inquiétude de son propriétaire. Quand celui-ci perçoit une menace ou qu'il souhaite intimider un adversaire, il déploie alors ses oreilles de part et d'autre de sa tête, triplant d'un coup sa surface, et obtenant ainsi une large zone frontale. Au pâturage ou au repos, quand l'éléphant ne bat pas des oreilles pour se rafraîchir, il les tient repliées, ou à peine entrouvertes. S'il est intrigué, il les écarte à moitié ou même totalement. Par contre, s'il est réellement effrayé, il se défile, adoptant une démarche en biais très caractéristique, tête rentrée dans les épaules, oreilles plaquées. Les claquements sonores des oreilles sont de différentes sortes : ils vont du comportement d'intimidation aux signaux d'appel ou de départ, à destination des autres membres du groupe.

Les éléphants expriment des sentiments à leur manière. C'est particulièrement évident pour la joie qu'ils ressentent quand ils accueillent un membre de la famille ou un ami (même un ami humain), après la naissance d'un bébé, ou au moment des jeux. Les écoulements des glandes temporales font aussi partie du système de communication. Ils sont liés à un état d'excitation ou de crainte. On remarque ces écoulements lors des saluts, ou quand les jeunes mâles se combattent. Un animal séparé de sa famille présente également ce symptôme. Les femelles émettent ces sécrétions tout au long de l'année, mais le phénomène est plus fréquent en saison sèche. Ces écoulements ont probablement une odeur individuelle et les éléphants, dont l'odorat est très développé, s'en serviraient pour se reconnaître.

Toutes les descriptions de la vie sociale de l'éléphant donnent l'image d'un fonctionnement identique, au moins dans une région donnée. Mais chacun a son caractère propre, et les réactions sont différentes d'un individu à l'autre. L'éléphant n'est pas un animal au comportement stéréotypé. Aussi, même si l'on vous assure que la première charge d'un éléphant est toujours une manœuvre d'intimidation, ne restez pas sur son passage !

98 en haut
Le contact physique est très important dans la vie sociale des éléphants ; ils se touchent souvent avec la trompe, s'appuient ou se frottent les uns contre les autres.

98 en bas
Chez beaucoup d'espèces animales, le jeu est un privilège des jeunes. Chez les éléphants, les femelles adultes jouent également beaucoup quand les conditions de vie sont favorables.

99
Contrairement aux apparences, ces femelles s'amusent entre elles et ne sont pas en train de se battre férocement.

100-101
Lors des retrouvailles entre deux troupes proches, les salutations qu'échangent les femelles peuvent se faire trompes mêlées ou bien trompe contre trompe.

102
À Samburu, la végétation parfois importante peut servir de cachette. Cette femelle en train de charger profite ainsi de l'effet de surprise.

103
Cet éléphant a pris un malin plaisir à s'arroser de boue. Tout en lui exprime la joie.

104
Un adolescent, resté en arrière de la troupe qui se baigne tranquillement en contrebas, est alarmé par l'arrivée d'un grand mâle.

105
Un jour, dans Tsavo, nous avons été brutalement chargés par la matriarche d'une troupe. Partie de très loin, elle a foncé sur notre véhicule sans que rien ne nous permette de prévoir cet assaut. Nous avons appris plus tard que des braconniers avaient tué plusieurs éléphants quelque temps auparavant.

106-107
Cette matriarche opère simplement une charge d'intimidation. Bien que très impressionnante, celle-ci est sans danger.

108-109
Ce grand mâle de plus de 30 ans vit en solitaire sur un domaine qu'il ne quitte que pour partir à la recherche des femelles lorsqu'il est en musth.

110
Les jeunes mâles de moins de 30 ans vivent en petites bandes qui peuvent compter de 2 à 30 individus.

111
Ces grands mâles ont une position hiérarchique équivalente. Aucun ne veut céder sa place et le combat pour la possession d'une femelle en chaleur est inévitable.

LA VIE SOCIALE DES MÂLES

La vie des mâles adultes ne ressemble en rien à celles des familles : entre eux, peuou pas de notion de solidarité. Les puissantes relations affectives rencontrées qui unissent les femelles sont absentes. Rien de comparable non plus avec la structure sociale des babouins, par exemple, où ce sont les grands mâles qui assurent la sécurité collective. En devenant mature, le jeune mâle voit sa vie changer. Longtemps choyé par la société matriarcale, il est de plus en plus souvent pourchassé par les femelles de sa famille quand il approche de la maturité, jusqu'à ce qu'il finisse par comprendre qu'il n'est plus désiré. Mais ce comportement ne semble pas se produire de manière systématique. Certains observateurs ont vu des jeunes mâles chassés par des mâles adultes, ou certains s'émanciper d'eux-mêmes. Les liens entre le jeune quittant sa troupe de naissance et sa mère se détendent, sans pour autant se rompre aussitôt. Les premiers temps, il reste à portée de vue de sa famille. Puis, peu à peu, la distance croît. Les bagarres avec d'autres « proscrits » d'âge et de poids similaires se poursuivent. Les uns et les autres vont rejoindre des congénères du même sexe, et former avec eux une petite bande de célibataires tous à peu près de la même taille et du même âge – entre 10 et 17 ans, âge ou les mâles sont réellement adultes. Ces groupes de jeunes célibataires restent à proximité des structures familiales. Plus tard, une fois devenus adultes, les mâles forment des associations qui présentent plus de cohésion, même si leur structure reste beaucoup plus lâche que celle des groupes familiaux. Ces « bandes » masculines comptent entre trois et trente individus. Ce n'est qu'au-delà de 30 ans que les mâles deviennent réellement des solitaires. Ils vivent alors sur des domaines bien précis, que chacun d'eux fréquente régulièrement, loin des femelles. Ils ne quittent ces zones dites « mâles » que lorsqu'ils cherchent à s'accoupler. La présence, dans les familles, de ces mâles sexuellement matures n'est tolérée que si une des femelles est en chaleur. Le célèbre cratère du Ngorongoro en Tanzanie est un site exemplaire pour le partage de l'espace en fonction du sexe. Dans cette réserve, les vieux mâles se tiennent la plupart du temps au fond de la caldeira, tandis que les familles – femelles et jeunes – demeurent dans les forêts qui couvrent les lèvres de l'ancien volcan. Les mâles d'âge intermédiaire vont et viennent entre ces deux espaces.

Tous les mâles de plus de 30 ans ne vivent pas forcément seuls. Certains préfèrent prendre avec eux un, deux ou trois congénères un peu plus jeunes. Tout se passe comme au sein d'un club masculin. Hors des périodes d'activité sexuelle, ils se nourrissent, se reposent, se vautrent dansla boue et se poudrent ensemble loin des femelles et des jeunes. C'est une période tranquille pendant laquelle les mâles prennent du poids et se constituent des réserves d'énergie. Tous ces grands mâles ont en commun leurs habitudes sédentaires. À Samburu, certains sont si casaniers qu'il nous arrive de les rencontrer tous les matins à la même heure et sur la même piste plusieurs jours d'affilée.

Même s'ils vivent sans structure sociale apparente, les mâles obéissent néanmoins à une hiérarchie qui commence à s'établir dès leur prime jeunesse. Tous ceux qui appartiennent au même « clan » sont amenés à se connaître au fil des ans. Les joutes démarrent très tôt. Il s'agit pour chacun d'eux d'une activité essentielle. Elle permet à chaque mâle d'affirmer sa place dans la population, et fixe son ordre de préséance en

112-113
Seuls les éléphants mâles vivent dans le fond du cratère du Ngorongoro. Les femelles et les jeunes vivent sur les flancs ou au sommet. Un exemple qui illustre parfaitement le partage de l'espace entre les éléphants, en fonction de leur sexe.

matière de nourriture, d'eau ou d'accouplement. À mesure que le jeune prend de l'âge, les défis qu'ils lancent, ou ceux auxquels il répond, sont de plus en plus sérieux, mais ils ne dégénèrent jamais en véritables combats. Lorsque deux mâles se livrent à une joute, il s'agit avant tout d'une épreuve amicale au cours de laquelle chacun teste ses forces. Les protagonistes viennent tout près l'un de l'autre, se touchent réciproquement la bouche avec la trompe, et parfois aussi les glandes temporales. Ensuite, ils se tiennent par la trompe ou la placent sur la tête de l'autre. Défenses contre défenses, ils commencent à se pousser d'avant en arrière, puis se reculent un peu pour s'élancer l'un contre l'autre. Quand on entend le fracas des défenses qui se heurtent, ivoire contre ivoire, il paraît incroyable que ces joutes ne soient pas plus dangereuses. Les yeux en particulier ne sont jamais atteints, semble-t-il.
Une fois devenus adultes, les mâles d'un « clan » ont normalement eu l'occasion de rencontrer tous leurs congénères soit pendant leur enfance, soit dans les groupes d'adolescents. L'issue de toutes les joutes reste dans la mémoire collective. Ainsi, lorsque deux mâles adultesse rencontrent, ils connaissent leur statut social respectif. Le plus faible laisse la place au dominant, sans qu'il y ait besoin d'un combat ; les rivalités se résolvent par de simples rituels.

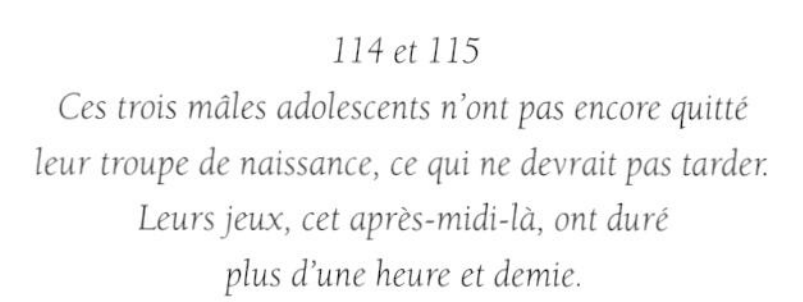

114 et 115
Ces trois mâles adolescents n'ont pas encore quitté leur troupe de naissance, ce qui ne devrait pas tarder. Leurs jeux, cet après-midi-là, ont duré plus d'une heure et demie.

116 et 117
Les joutes entre jeunes mâles s'inscrivent dans la mémoire des combattants. La reconnaissance hiérarchique de chacun évite ensuite la plupart des affrontements. Seul l'état de musth bouleverse ce bel ordonnancement. Un mâle en musth aura toujours la prérogative sur un autre qui ne l'est pas.

L'ÉLÉPHANT ET LA MORT

Une jeune femelle traîne derrière le troupeau. Sa mère est devant, avec son autre éléphanteau de quelques mois. La jeune femelle pousse soudain un faible barrissement, avant de vaciller sur ses jambes et de s'allonger au sol. Alertée, sa mère revient en arrière, accompagnée de son petit dernier et d'une compagne. Le reste du troupeau s'est immobilisé et regarde la scène sans intervenir. La femelle s'approche de sa fille, tend sa trompe vers elle comme pour la rassurer, et l'incite à se relever. Mais sans succès. Alors, elle glisse une de ses pattes avant sous son dos, et pousse en l'aidant en même temps de sa trompe. Elle recommence plusieurs fois la manœuvre tantôt avec ses pattes avant, tantôt avec ses défenses. Elle parvient à redresser la jeune en position assise un moment mais le corps inerte retombe à nouveau. D'importants écoulements apparaissent des deux côtés de la tête des protagonistes mais aussi de tous les autres membres du troupeau. Au bout d'une heure, le jeune éléphant s'éteint. Prises d'une sorte de frénésie, plusieurs femelles s'agenouillent pour tenter désespérément de la soulever ; certaines essaient d'autres méthodes pour la ramener à elle : coups de pied ou coups de défense. Une autre va même cueillir un peu d'herbe avec sa trompe, et essaie de la glisser dans la bouche de la morte. La famille finit par comprendre qu'il n'y a plus rien à faire. La mère renifle longuement sa fille, puis tous les membres de la troupe viennent tourner autour du corps et le sentent aussi avec leur trompe pour s'imprégner de son odeur. Plusieurs heures s'écoulent. Les plus jeunes sont collés à leur mère, immobiles, comme s'ils comprenaient la gravité de la situation. Enfin, les premières femelles commencent à repartir. Arrivées à quelques mètres, elles dressent toutes leur trompe dans la direction de la morte et barrissent. La mère, complètement désemparée, les suit puis fait demi-tour. Elle recommence ce va-et-vient plusieurs fois. Enfin, elle rejoint le reste du troupeau qui l'attend un peu plus loin.

Les témoignages concernant la réaction des éléphants à la mort d'un de leurs proches sont nombreux, et vont tous dans le même sens. Ainsi, Cynthia Moss raconte qu'à la mort d'une matriarche, sa famille a creusé des pieds et de la trompe pour ramasser un peu de terre sur le sol caillouteux et le répandre sur son corps ; quelques femelles allèrent même casser des branches dans les buissons environnants puis les rapportèrent et les déposèrent sur le cadavre. À la tombée du jour, elles l'avaient presque enseveli sous la terre et les branchages. Toutes veillèrent la matriarche une grande partie de la nuit. Elles ne commencèrent à s'éloigner qu'un peu avant l'aube, à regret. Derek et Beverly Joubert, photographes pour le *National Geographic*, rapportent aussi d'étranges cérémonies, comme la mort de ce vieil éléphant mâle appelé M40, au Botswana. Les autres mâles venaient renifler chaque centimètre de son corps par groupes de deux ou trois – rituel particulièrement impressionnant par le silence qui régnait. Alors qu'il était mourant, et même juste après sa mort, des jeunes vinrent, et le montèrent comme s'ils essayaient de s'accoupler, comportement peut-être lié à la hiérarchie. Quand un éléphant marche le long d'un endroit où l'un des siens est mort, il reste immobile ; cette pause silencieuse peut durer plusieurs minutes, même des années après la mort de son congénère.

118 et 119
Le grand mâle a cassé les reins d'une jeune femelle en voulant s'accoupler avec elle. Il la veillera jusqu'à sa mort. Les jours suivants, le cadavre de la femelle éléphant attirera nombre de vautours et d'hyènes.

Il est également frappant de voir les pachydermes reconnaître les cadavres et les squelettes des leurs, alors qu'ils ignorent complètement ceux d'autres espèces. Ils réagissent toujours devant le corps d'un éléphant mort. Ils s'arrêtent à quelques pas et deviennent silencieux et tendus. Puis, ils avancent la trompe vers les restes de l'animal pour les sentir et s'approchent doucement, prudemment ; ils commencent à tâter les os, les soulevant parfois ou les retournant – ils semblent s'intéresser tout particulièrement à la tête et aux défenses. Des ossements nus et blanchis par le temps sont capables d'arrêter un groupe d'éléphants qui les trouve pour la première fois sur sa route. Ils les tâtent, les remuent et les transportent parfois ailleurs. Cynthia Moss rapporta un jour la mâchoire d'une femelle adulte à son camp, pour essayer de déterminer son âge exact. Quelques semaines plus tard, la famille de la morte, de passage à la périphérie du camp de la scientifique, fit un détour pour se rendre auprès de la mâchoire et l'examiner. L'éléphanteau orphelin, âgé de 7 ans, resta longtemps après le départ du reste de la famille. Il touchait la mâchoire et la retournait avec ses pieds et sa trompe. Retrouvait-il le souvenir de sa mère ?

Les éléphants ont donc un sentiment très précis de la mort, étrange et troublante caractéristique. Nous pouvons même parler d'un véritable culte de la mort. Tout cela montre aussi à quel point l'attachement entre les éléphants d'une famille est grand. En tant qu'humains, nous avons tendance à penser que nous sommes les seuls êtres vivants capables de penser de manière complexe, et de faire l'expérience de toute une gamme d'émotions. Pourtant, beaucoup d'observations faites sur le terrain illustrent la profondeur des émotions ressenties par les éléphants. Une des émotions humaines les plus naturelles est le chagrin qui accompagne, en particulier, la mort d'un être cher. En regardant les expressions du visage, et l'attitude d'une femelle éléphant « pleurant » la mort de son nouveau-né, on a le sentiment que tout en elle exprime le chagrin : ses yeux, sa bouche, la façon de tenir ses oreilles, sa tête et son corps. Joyce Poole raconte qu'elle a vu une mère essayer de ramener à la vie son bébé qui venait de mourir. Les humains expriment ce même genre de refus devant la mort d'un être cher. Une autre fois encore, cette scientifique a pu constater la profondeur du chagrin ressenti par tout un groupe. Des femelles se déplaçaient vers de nouveaux territoires, quand brusquement, l'une d'entre elles tomba. Ses compagnes, revenues à ses côtés, réalisèrent rapidement qu'elle ne bougeait plus. Elles essayèrent de la remettre sur ses pattes, mais sans succès. En dernier ressort, les mâles qui les accompagnaient tentèrent de s'accoupler avec la morte, espérant sans doute ainsi la ramener à un état de conscience. Comme elle ne réagissait pas, les éléphants finirent par laisser le corps, et poursuivirent leur route. Mais, le jour suivant, ils revinrent « pleurer » et rendre hommage à leur compagne perdue. Les pachydermes semblent donc avoir eux aussi un profond besoin de se rappeler, et de « pleurer » leurs disparus.

LA SEXUALITÉ

120 à gauche
La différence de taille entre le mâle et la femelle est bien marquée, avec plus d'une tonne d'écart en moyenne.

120 à droite
Il n'y a pas de saison des amours bien définie, bien que l'activité sexuelle des éléphants soit plus importante à la saison des pluies.

122
Le mâle teste les organes génitaux de la femelle. Il goûte son urine pour savoir si elle est en chaleur, sous l'œil de son petit.

123
Si la première femelle ne lui a pas convenu, il teste ensuite toutes les autres femelles de la troupe.

Nous sommes à Amboseli et depuis notre endroit préféré près d'une colline appelée « Observation hill », nous regardons manger la petite troupe que nous suivons habituellement. Un grand mâle solitaire se dirige vers nous. Il porte la tête bien haute. Ses glandes temporales ruissellent d'un liquide épais et visqueux. L'enveloppe de son pénis, de couleur verdâtre, dégouline d'urine. Il est encore éloigné d'une centaine de mètres mais déjà, les femelles lèvent leur trompe et grondent. Toutes le regardent arriver avec méfiance. Il s'approche de nous, nous mettons le moteur en marche, un peu méfiants, prêts à démarrer s'il se montre agressif, ce qui arrive parfois avec des mâles à la période des amours. Nous gardons en mémoire le jour où l'un d'eux nous a poursuivis dans les marais, à quelques mètres devant la voiture. Nous avons fait ainsi près d'un kilomètre en marche arrière, pas rassurés du tout. L'odeur du mâle est âpre et forte. Il ralentit sur les derniers mètres qui le séparent du groupe et baisse la tête tout en enroulant sa trompe sur l'une de ses défenses. Les femelles se détendent, et commencent à émettre de petits grondements d'excitation. Le mâle s'approche d'une première femelle, et place le bout de sa trompe sur sa vulve. Il ne s'attarde pas et va sentir la vulve de sa voisine. Une autre femelle se met à uriner, il vient toucher l'urine du bout de sa trompe qu'il met ensuite dans sa bouche. Il reste ainsi sans bouger un petit moment puis reprend « l'inspection » de toutes les femelles du groupe. Finalement, il reprend sa route, ne semblant pas avoir trouvé ce qu'il cherchait. Il est resté avec la troupe une vingtaine de minutes en tout.

Une semaine passe. Un matin, près de la colline, nous trouvons une des jeunes femelles de la troupe que nous appelons Lucie en train de courir dans la plaine, poursuivie par un mâle adulte, assez jeune. Elle tente d'échapper à son poursuivant. Sa famille n'est pas à ses côtés ; elle devait en être éloignée lorsque le mâle l'a pourchassée. Pendant plus d'une heure, les deux éléphants continuent leur course-poursuite, s'arrêtant de temps à autre pour souffler. Enfin, le mâle arrive à s'approcher suffisamment de la femelle, et place sa trompe sur son dos. Lucie s'est immobilisée. Le mâle essaie de s'accoupler. La manœuvre ne réussit pas très bien, et le mâle éjacule hors de la femelle. Les deux pachydermes se mettent ensuite à paître. Mais, très vite, la poursuite reprend. Nous continuons à suivre les événements. Plusieurs tentatives échoueront avant que le mâle n'arrive à ses fins. Lucie rejoint sa famille dans les marais, toujours accompagnée de son poursuivant. D'autres mâles, eux aussi attirés par la jeune femelle, se mettent à tourner autour de la troupe. À peine Lucie a-t-elle le temps de manger. Elle est à nouveau poursuivie par des mâles. Le lendemain matin, quand nous retrouvons la troupe, le manège continue. Dans l'après-midi, tous ressortent des marais. C'est à ce moment que nous voyons arriver le grand mâle solitaire aperçu la semaine dernière. Les femelles piétinent à son approche, se tournent et marchent à reculons. Elles claquent des oreilles, grondent et tendent la trompe vers lui, tout en urinant. Même les jeunes éléphanteaux s'approchent pour le renifler. Les autres mâles qui suivaient Lucie se sont éloignés d'elle dès qu'ils l'ont senti approcher. Ils mangent tout en le surveillant du coin de l'œil. Quand le mâle s'approche de la jeune femelle, elle se met à courir mais d'une manière beaucoup moins convaincante que précédemment.

124
Dès 12 ans, les mâles sont théoriquement en mesure de s'accoupler. mais il leur faut en général atteindre bien des années avant de féconder une femelle : leurs aînés ont la priorité.

125
La jeune femelle inexpérimentée, poursuivie plus d'une heure par le mâle avant qu'il ne réussisse à l'immobiliser, s'est éloignée de sa famille.

Très vite d'ailleurs, il arrive à poser sa trompe sur son dos, et elle s'arrête aussitôt. Elle pousse des cris aigus, et toute sa famille s'empresse de la rejoindre et d'entourer le couple. Lucie s'offre au mâle en lui tendant sa croupe, marchant à reculons. Le mâle la chevauche, gardant ses pattes arrières au sol. L'accouplement lui-même dure une trentaine de secondes. La famille émet des barrissements puissants dans une belle cacophonie. Tous les animaux sont très excités et le spectacle est impressionnant. Ensuite, Lucie se place à côté de son compagnon tandis que les femelles viennent renifler sa vulve. Quand nous les laissons, Lucie mange tout à côté du grand mâle ; elle n'est plus embêtée par les autres qui gardent leurs distances, sachant qu'ils n'ont aucune chance face à ce dernier. Le lendemain, la situation reste identique. Lucie et le grand mâle s'accouplent encore deux fois sous nos yeux. Le jour suivant, ce dernier commence à se désintéresser de Lucie et, dans la matinée, il repart. Sans sa protection, Lucie se retrouve à nouveau harcelée par les jeunes mâles. Heureusement, sa période de chaleur s'arrête et elle peut alors reprendre une vie tranquille. Les mâles ne quittent pas pour autant la famille, car la tante de Lucie est en chaleur à son tour. Forte de son expérience, elle ne laisse pas ces jeunes mâles l'importuner.
Tous les accouplements ne se passent pas aussi bien. Récemment, dans la réserve de Masai-Mara, un mâle imposant a voulu s'accoupler à une toute jeune femelle. Malheureusement, en la chevauchant il lui a brisé les reins et la femelle est morte. Gardée par le mâle, très agressif envers l'extérieur, il ne s'est résolu à l'abandonner qu'au moment où vautours et hyènes sont venus s'emparer du cadavre.

Les mâles adultes, surtout ceux de plus de 30 ans, ont la particularité de présenter, à certaines périodes, un phénomène sexuel très marqué. Atteints d'une soudaine poussée glandulaire – comme un accès de fièvre incontrôlable –, ils ont les glandes temporales qui gonflent et qui laissent s'écouler un liquide visqueux dont l'odeur puissante, âcre et pénétrante est perceptible à distance, même par des narines humaines. Les mâles frottent alors régulièrement leur tête sur les troncs d'arbre, les marquant de leur odeur. Durant ces périodes, ils semblent aussi souffrir d'incontinence ; l'intérieur de leurs cuisses arrière est continuellement mouillé d'urine. Leur sexe prend une drôle de couleur verdâtre et l'enveloppe pénienne est recouverte d'une sorte d'écume. On dit que les mâles sont alors en musth, terme appartenant à la langue hindi, qui désigne l'état physiologique et psychologique qui affecte périodiquement les éléphants mâles. Ce phénomène est connu depuis longtemps en Asie, les animaux deviennent alors dangereux, en particulier ceux qui sont domestiqués. Le musth touche les mâles ayant atteint la puberté et n'est pas lié à une saison particulière. Les mâles entrent en musth à des périodes différentes de l'année, et cet état dure deux à trois mois. Chacun d'eux, par contre, s'il est en bonne santé, répète le phénomène tous les ans à la même époque. En Afrique, toutes ces manifestations sont longtemps passées inaperçues. Les observateurs connaissaient le musth des éléphants mâles d'Asie chez qui les sécrétions des glandes temporales étaient considérées comme un des principaux signes du début de cet état. Mais en Afrique, ils ne voyaient que des femelles et des jeunes présentant eux aussi ces sécrétions, et ce, à tout moment de l'année. Ils en déduisirent que ces sécrétions avaient une tout autre signification pour les éléphants d'Afrique, et que ces derniers n'étaient pas sujets au musth. Ce n'est que dans les années quatre-vingt que les biologistes se sont réellement intéressés au phénomène du musth en Afrique, avec en particulier les études de Joyce Poole à Amboseli.
Quand le mâle entre en musth, il change de comportement et de personnalité. Il devient irascible et témoigne de l'agressivité envers ses congénères, mais aussi envers tout élément étranger, comme les voitures des touristes ou les chercheurs

qui viennent l'observer. Ce phénomène est lié à l'accroissement du taux d'hormone mâle – la testostérone – dans le sang. Son attitude générale se modifie à tel point que Joyce Poole prétend être capable d'en reconnaître un de loin, juste à son allure. Il porte la tête haute, le menton rentré, et avance à grands pas décidés. La démarche musth s'accompagne de comportements et de postures typiques. Les mâles en musth ont une façon particulière d'agiter les oreilles qui ne ressemble en rien aux mouvements d'oreilles des autres mâles. Peut-être ces mouvements ont-ils pour but de propulser vers l'avant l'odeur des sécrétions temporales. Ils présentent aussi de curieux mouvements de la trompe ; ils la portent souvent à leur front dans une attitude caractéristique.

La conséquence principale de l'état de musth est le bouleversement de l'ordre hiérarchique dans la population mâle. Dans cette hiérarchie fondée en partie sur la taille et donc sur l'âge, chaque mâle connaît sa position relative par rapport à tous les autres mâles du clan. Le dominant fait valoir ses droits sur les suivants, et obtient par exemple la meilleure branche d'un arbre abattu. Mais le fait qu'un mâle soit en musth modifie cette organisation, il prend alors la prérogative sur tout autre – même si ce dernier a un rang supérieur au sien – et il ne supporte aucune contrainte, n'hésitant pas à provoquer ceux qui sont, en théorie, plus forts que lui. Il quitte le secteur où il a ses habitudes afin d'aller à la recherche des groupes de femelles. Dans un état d'excitation prononcé, il court d'un groupe à l'autre. Lorsqu'il trouve une femelle à son goût – une femelle réceptive –, il devient comme fou. C'est à peine s'il a le temps de se nourrir ou de se reposer, car il doit chasser les autres mâles, et protéger la femelle. Il veut être sûr d'être le géniteur du futur nouveau-né. Il lui arrive aussi de combattre un autre mâle en musth, attiré comme lui par la femelle réceptive. Soumis à un tel régime, il maigrit vite, d'autant plus qu'il parcourt parfois de grandes distances. Il continue à chercher d'autres femelles tout le temps du musth. Heureusement, cette période de folle activité ne dure pas toute l'année ! Quand elle se termine, le mâle rejoint sa zone de retraite habituelle où il peut à nouveau prendre le temps de manger, de boire et de se reposer.

Les observateurs ont constaté que le phénomène du musth apparaît le plus souvent vers 30 ans. Il joue en principe un rôle important dans la sélection des géniteurs. En effet, les mâles atteignent la maturité sexuelle vers 12 ans, et ont donc théoriquement la capacité de s'accoupler et de féconder une femelle. Mais dans des conditions de vie normales, cette possibilité se concrétise rarement. Ni les femelles ni les mâles plus âgés, ne laissent ces jeunes s'accoupler. Ils ne commencent généralement à rivaliser pour la possession des femelles fécondables qu'à partir de l'âge de 25 ans, et ne peuvent encore prétendre qu'à des accouplements furtifs, en l'absence des plus vieux mâles. Ceux étant âgés de 36 à 50 ans, et de plus 50 ans ont en principe un maximum de chance de s'accoupler, et notamment ceux qui sont en musth. Il semble qu'un mâle n'entre pas en période de musth si d'autres mâles plus dominants – et vivant dans la même zone – le sont déjà, ceci ayant pour conséquence de minimiser les conflits. Un animal qui n'est pas en musth est capable de s'accoupler, mais il cédera toujours en cas de confrontation avec un mâle en musth. Ce dernier peut donc saillir et protéger une femelle fécondable durant la période cruciale de l'ovulation. En conclusion, ce sont donc les mâles de plus de 30 ans qui sont en principe les géniteurs de tous les éléphanteaux d'une population.

Si un mâle en musth trouve la trace d'un autre plus âgé que lui et dans le même état, il la renifle puis cherche à localiser l'autre, tout en jetant autour de lui des regards anxieux. Il est possible qu'il réduise aussi l'écoulement de son urine et ses propres sécrétions temporales pour ne pas avoir à affronter

126
L'arrivée d'un grand mâle auprès d'une femelle en chaleur éloigne les autres prétendants, et fait cesser le harcèlement dont elle est l'objet quand elle est inexpérimentée.

un rival trop dangereux pour lui. En revanche si les deux mâles en musth sont de rang hiérarchique proche, l'un peut pister l'autre et chercher l'affrontement. Lorsqu'ils combattent, les rituels respectés lors des joutes qui établissent la hiérarchie n'ont plus lieu. Les combattants s'avancent l'un vers l'autre, tête haute, oreilles déployées sans avoir, au préalable, explorer l'autre avec leur trompe. Ils se livrent ensuite à un savant manège de pas chassés, de façon à rester face à face. Puis ils se jettent l'un contre l'autre dans des attaques brèves, rapides et précises, se heurtant de toute leur force. Ils cherchent à planter leurs défenses dans les parties les plus vulnérables du corps de l'adversaire. Parfois, défense contre défense, chacun tente de déséquilibrer l'autre. Si l'un des mâles tombe à terre, son rival peut lui transpercer la tête ou le flanc d'un coup de défense et le tuer. Il est arrivé que certains combats durent plus de huit heures.

Mais qu'en est-il aujourd'hui de ces mâles de plus 30 ans? Malheureusement, très peu d'entre eux ont survécu au braconnage puisque ce sont eux qui portent les plus belles défenses. Le rôle du musth dans la reproduction de l'éléphant d'Afrique devient donc aujourd'hui beaucoup moins important que dans les siècles passés.

Sexualité des femelles et accouplement

Autrefois, un œil non exercé avait du mal à reconnaître le sexe d'un individu sur le terrain. En effet, les organes sexuels de l'éléphant sont très différents de ceux des autres mammifères. L'orifice vaginal des femelles est situé en arrière de l'abdomen, comme chez les Siréniens et autres mammifères marins. L'éléphant mâle lui-même a d'ailleurs souvent du mal à le localiser. Ses testicules sont de façon permanente situés en position intra-abdominale.

Les femelles atteignent leur maturité sexuelle vers 8 ans. Elles n'entrent ensuite en chaleur que quatre fois par an pour une durée de trois à six jours. Leur comportement obéit alors à un certain nombre de règles : le premier jour – parfois les deux premiers – la femelle se méfie des mâles, et esquive leurs approches. Pendant cette phase, elle se déplace en présentant une démarche dite œstrale : oreilles droites et tendues, tête haute et légèrement de côté. C'est à ce moment-là aussi qu'ont lieu les poursuites des mâles. En observant longuement les femelles, Cynthia Moss a pu constater qu'une femelle suffisamment expérimentée peut, dans la plupart des cas, distancer les mâles. Elle n'est donc pas obligée de s'accoupler sans distinction. Si un accouplement se produit, la femelle et sa famille se livrent à de bruyantes vocalisations. Cette agitation attire d'autres mâles ce qui est sans doute le but recherché. Durant la deuxième phase, la femelle en chaleur est choisie par un grand mâle auquel elle s'accouple volontairement, le laissant la protéger. À Amboseli, ce mâle est en musth dans 87 pour cent des cas, d'après les études réalisées. Le couple peut se maintenir de deux heures à trois jours. Cette phase est relativement calme, car la femelle n'est plus pourchassée par d'autres prétendants. Une troisième phase se déclenche quand le couple se sépare. Les mâles plus jeunes reprennent alors leur harcèlement.

Dans le cas de femelles inexpérimentées qui ovulent pourla première fois, ou qui n'ont connu qu'une ou deux périodes de chaleur, le mode habituel de comportement se trouve entièrement perturbé. Elles sont pourchassées et harcelées durant toute leur période œstrale. Les mâles de tous âges les montent de façon répétée. Il semblerait donc que le comportement de couple s'acquière avec l'expérience. Les femelles peuvent être en chaleur à n'importe quel moment de l'année même si l'on constate des pointes, dans certaines régions par exemple, en milieu de saison des pluies. On retrouvera alors un pic des naissances en début de saison des pluies, deux ans plus tard. L'accouplement lui-même est bref, pas plus de quarante-cinq secondes. Le mâle pèse souvent

127
Le pénis de l'éléphant est très long et très mobile, parfaitement adapté à l'appareil génital de la femelle. Il peut atteindre 1,20 m pour 10 cm de diamètre.

deux fois plus lourd que la femelle. Il fait donc porter son poids sur ses pattes arrière et se tient quasiment accroupi, les pattes avant sur le dos de la femelle. Son pénis est très long, près de 1,20 mètre pour 10 centimètres de diamètre, et très mobile. Entre deux accouplements, le mâle attend en moyenne près de huit heures.

En pratique, une femelle dans sa vie d'adulte n'est réellement réceptive aux mâles que quelques jours tous les quatre ans, l'ovulation ne reprenant, en moyenne, que deux ans après la naissance d'un petit. Cette durée de quatre ans peut diminuer si le nouveau-né meurt rapidement. Comment les grands mâles en musth trouvent-ils au bon moment la femelle réceptive, alors que la période de chaleur est si courte ? La communication à distance prouve encore dans ce domaine sa grande utilité. Après un accouplement, même avec de jeunes mâles, la femelle et sa famille émettent de puissants grondements comportant des composantes infrasoniques qui portent sur de grandes distances. Ils attirent donc d'autres mâles vers la femelle en chaleur, et en particulier les mâles en musth. Ceux-ci émettent également un grondement caractéristique, à la fois très grave et très puissant qui peut, à l'inverse, faire venir à eux les femelles réceptives et écarter les mâles de statut hiérarchique inférieur.

Les membres d'une même famille sont par définition plus ou moins parents. Grâce au phénomène du musth qui réduit à quelques mois par an l'activité sexuelle des mâles, il y a peu de chances qu'une même mère donne consécutivement naissance à des petits du même père. Par contre, les jeunes d'une même famille, nés à quelques mois d'intervalle, ont d'assez grandes chances d'être du même père. Il existe d'ailleurs une tendance à l'apparition synchrone de l'œstrusà l'intérieur des familles : les femelles fécondables se trouvent souvent en chaleur à quelques semaines d'intervalle les unes des autres. Si un mâle dominant en musth se trouve dans les parages, il sera probablement le père de tous les petits conçus pendant cette période. L'œstrus pourrait aussi se déclencher en réponse à l'état de musth d'un mâle particulier ; on peut alors considérer que les femelles « choisiraient » leur mâle. Les nouveau-nés d'une famille seront donc demi-frères et demi-sœurs de leurs contemporains par leur père. Par leur mère, ils se retrouvent demi-frères et demi-sœurs d'une partie de leurs aînés, ainsi que petits-enfants, nièces, neveux, oncles et tantes d'autres membres de la famille !

Influences extérieures sur la sexualité

Des conditions écologiques défavorables comme la sécheresse inhibent l'œstrus chez les femelles adultes reproductrices. Ainsi la scientifique Cynthia Moss a-t-elle enregistré, dans les années soixante-dix, une forte baisse de la natalité parmi les éléphants d'Amboseli. Après trois années de faible pluviosité suivies de deux années de sécheresse, 29 pour cent des femelles adultes ont mis bas en 1974, seulement 8 pour cent en 75 et 0 pour cent en 76. Parallèlement, les premières chaleurs sont apparues beaucoup plus tardivement vers 14 ou 15 ans, chez les jeunes femelles – des exemples de reports à plus de 20 ans sont donnés dans d'autres régions. Dans certaines circonstances défavorables, l'âge de la puberté peut donc être retardé, et l'intervalle moyen entre les naissances pour une femelle peut alors passer à près de huit ans au lieu de quatre.

Les effets de telles régulations se ressentent très rapidement dans une population puisque la femelle ne donne naissance qu'à un seul petit à la fois. Quand la densité d'éléphants dans une région devient trop importante, il peut également se produire une autorégulation des naissances.

En revanche, si les grandes pluies sont abondantes, il y a recrudescence de l'activité sexuelle. Des mâles de tous âges viennent alors se joindre aux grands rassemblements qui se forment, lorsque la végétation abonde.

128
Très souvent, la famille de la femelle en chaleur entoure le couple. Tous émettent de puissants grondements qui comportent des composantes infrasoniques et portent sur de grandes distances.

129
La femelle présente un gros écoulement temporal. Tous les éléphants, indépendamment de leur sexe et de leur âge, ont ainsi des sécrétions quand ils sont excités. Le liquide dégagé par les jeunes et les femelles est plus fluide et moins odorant que celui des mâles en musth.

130-131
L'éléphanteau regarde sa mère en train de s'accoupler. L'ovulation ne reprend en moyenne que deux ans après la naissance d'un jeune, mais elle peut être inhibée si les conditions ne sont pas favorables comme en période de grande sécheresse.

LES PETITS

132
Un éléphanteau (à gauche) goûte ce que son compagnon est en train de manger en plaçant sa trompe dans la bouche de celui-ci. Les défenses (à droite) ne deviennent visibles chez les jeunes qu'à partir de 2 ans.

134 et 135
La femelle gestante met bas au bout de 22 mois. Les bébés qui viennent de naître sont couverts de poils noirs. Ils sont minuscules comparés à leur mère, pourtant ils pèsent déjà 100 kg chacun en moyenne.

136
Les jeunes éléphanteaux ne maîtrisent pas encore bien l'usage de leur trompe.

137
L'éléphanteau est allaité pendant deux ans, mais dès 6 mois son alimentation est complétée par des végétaux.

LES ÉLÉPHANTEAUX

Tout le groupe est réuni autour de Chloé, qui va mettre bas. Au moment de la naissance, les éléphants barrissent et grondent, et les sécrétions des glandes temporales coulent le long de leurs joues. Chloé a déjà enfanté au moins deux fois, et se montre sûre de ses gestes. Elle libère son nouveau-né de l'enveloppe placentaire avec ses défenses. Les femelles tout autour tendent leur trompe dans leur direction. Chloé pousse son petit pour qu'il se lève, mais il retombe aussitôt. Elle l'aide en passant délicatement un pied sous son ventre et en le soutenant de sa trompe. Au bout de quatre tentatives, il arrive enfin à tenir sur ses pattes. Les jeunes femelles se pressent autour de lui et le caressent de leur trompe. Quelques heures après sa naissance, le bébé fait ses premiers pas. Encore une demi-heure, et il réussit à atteindre les mamelles de Chloé. Il tète vigoureusement pendant quelques minutes. Sa mère a déjà recommencé à paître. Une heure plus tard, il marche déjà derrière Chloé, même s'il n'est pas encore très rapide. La nuit nous oblige à partir. Nous ne les retrouverons que quelques jours plus tard sur des pâturages très nourrissants en compagnie d'autres familles où de nombreux éléphanteaux sont nés lors des mois précédents. Le petit de Chloé n'arrive pas à passer au-dessus d'un tronc en travers du chemin. Aussitôt, Chloé et deux autres jeunes femelles s'approchent de lui. Tout en barrissant, elles l'aident à franchir l'obstacle, le soulevant pratiquement avec leur trompe glissée sous son ventre. Le bébé secoue la tête et émet un drôle de cri. Les femelles lui répondent par des vocalisations douces, tout en l'effleurant de la trompe pour le rassurer. Tout autour, les familles paissent tranquillement. La nourriture est abondante. Les éléphanteaux sont occupés à jouer, les jeunes mâles des différents groupes se rassemblent pour se livrer à des joutes vigoureuses. Une petite femelle les observe un moment, puis attrape un morceau de bois avec sa trompe et le jette en l'air. Une autre préfère jouer avec des mottes de terre qu'elle se lance sur le dos. Les plus petits imitent leurs aînés et se pourchassent, grimpent les uns sur les autres ou courent dans tous les sens sans raison apparente. Seuls les très jeunes bébés restent collés à leur mère. Quand nous cherchons à les voir, comme par malice, ils se cachent derrière le corps massif de leur mère, ou une grande sœur vient se placer entre lui et nous ! Les autres crient, hurlent, barrissent sans que les adultes leur prêtent attention. Les femelles se déplacent sur un signe de la matriarche. Se retrouvant soudain abandonnés, les jeunes retardataires interrompent leurs joutes pour rattraper la harde. Ils courent de manière relâchée, remuant la tête de droite à gauche, laissant leurs oreilles battre contre leur cou. Ils émettent de puissants barrissements. Parvenus à un endroit où la végétation est plus dense, ils commencent à piétiner les buissons en se frayant un chemin à coups de tête et de défenses. Quelques jeunes adultes se joignent à eux, et le tapage de leurs barrissements déchire l'air. Un coup de tonnerre éclate suivi d'un éclair. Un jeune barrit de terreur. Sa grande sœur le rassure en glissant l'extrémité de sa trompe dans sa bouche.

La famille de Chloé s'est approchée de nous, mètre après mètre, mais maintient malgré tout une certaine distance. Un des jeunes, curieux, s'approche et vient nous regarder de plus près. Sa mère et ses tantes montrent leur inquiétude. Un autre éléphanteau vient rejoindre le premier. Mais, soudain, il lève la trompe et effectue une petite charge pour nous intimider, criant très fort, en signe d'alerte. Les femelles viennent alors le chercher. Leur attitude est plutôt menaçante et nous préférons nous déplacer de quelques mètres, et reprendre un peu de distance. Le jeune est palpé de tous côtés, il s'est simplement fait peur tout seul. Et puis, tout redevient calme. Le troupeau se rapproche de nous comme si rien ne s'était passé. Un jeune mâle de 4 ans environ n'a pas l'air d'apprécier que sa mère nourrisse son petit dernier. Il a bien envie de téter, lui aussi, mais elle refuse. Il répond alors par une sorte de hurlement, pour montrer son désaccord. Le sevrage ne se fait pas toujours facilement !

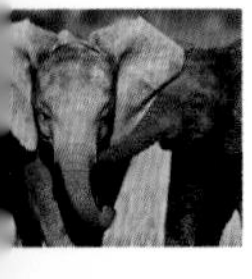

138
La femelle éléphant garde une patte un peu sur le côté pour aider son jeune à atteindre ses mamelles, situées sous ses pattes avant.

139
Les jeunes éléphanteaux sont assez petits pour se loger confortablement sous la poitrine de leur mère. Ils y sont ainsi à l'ombre, protégés des mauvais coups de soleil quand celui-ci est trop fort.

140
L'éléphanteau recherche le contact physique avec sa mère, en la touchant avec sa trompe ou avec une partie de son corps.

140-141
Appuyé contre la trompe de sa mère en train de manger de l'herbe, le jeune éléphanteau essaie lui aussi d'attraper des brins avec sa trompe.

142
Au bout de trois ou quatre mois, l'éléphanteau est capable d'utiliser sa trompe pour manger de l'herbe.

143
L'éléphanteau n'utilise pas sa trompe pour téter. Il boit avec la bouche, soulevant sa trompe au-dessus de sa tête. Il consomme près de 11 litres de lait par jour.

L'ÉDUCATION DES JEUNES

Même en observant très souvent les éléphants, assister à une naissance reste exceptionnel. La majorité d'entre elles se produit de nuit, ou bien encore de jour, mais à l'abri des regards, dans des lieux retirés. La femelle gestante met bas au bout de vingt-deux mois, souvent entourée des femelles de sa famille. Quand la future mère est expérimentée, tout se passe en général sans problème. À la naissance, le bébé pèse autour de 100 kilogrammes et mesure environ 85 centimètres au garrot. Il est couvert de poils noirs. Pendant les premières minutes, sa mère doit pousser son nouveau-né à se mettre sur ses pieds. Il doit téter rapidement pour prendre des forces, c'est pour lui une question de survie. En principe, au bout d'une heure, le bébé fait ses premiers pas et, rapidement, il trouve les deux mamelles de sa mère situées entre les pattes avant, légèrement en arrière. Quelques heures après sa naissance, il sera capable de commencer à suivre sa mère et sa famille. Une femelle sans expérience, en revanche, ne sait pas toujours comment agir avec son nouveau-né. Cynthia Moss raconte, par exemple, qu'elle a vu une toute jeune mère laisser son nouveau-né en plein soleil près de trois heures sans qu'il ait encore tété. Elle était incapable de l'aider à trouver ses tétines et s'affolait.

Durant les premières heures et même les premiers jours de sa vie, l'éléphanteau est assez désemparé. C'est à peine s'il voit clair ; il reconnaît sa mère à l'odeur, au son et au toucher. Il marche, certes, mais tout juste. Il faut le dépêtrer des racines et de tous les obstacles se trouvant sur sa route. Sa trompe est son principal point de contact avec le monde. Grâce à elle, il explore rapidement son environnement. Il la tend constamment pour renifler et tâter autour de lui. Les autres membres de la famille le sentent et le caressent eux aussi de leur trompe – tout au moins les femelles car les jeunes mâles semblent se désintéresser du nouveau-né. L'éléphanteau tète avec la bouche, soulevant sa trompe au-dessus de sa tête. Pour l'aider, sa mère garde une patte avant un peu sur le côté, sinon, il serait trop petit pour atteindre ses mamelles. Il consomme près de 11 litres de lait par jour. Le bébé va aussi s'amuser à téter les petites femelles qui s'occupent de lui, pourtant bien trop jeunes pour avoir du lait. Il sera allaité pendant deux ou trois ans mais dès 6 mois, son alimentation est complétée par des aliments végétaux. Le nouveau-né n'est pas le seul à vouloir téter sa mère. Ses frères et sœurs aînés veulent aussi en profiter. Parfois, la mère les laisse faire mais le plus souvent, elle les repousse. Les petits mâles cherchent à téter plus souvent que les jeunes femelles, leur croissance est plus rapide et leur mère les laisse faire. Les observateurs ont remarqué aussi que l'intervalle séparant deux naissances est plus long si la première naissance est un mâle. Les petits mâles seraient donc sevrés plus tard que les femelles. Les élever exigerait plus de soins et d'investissement. Ils meurent d'ailleurs plus vite que les petites femelles si leurs besoins ne sont pas satisfaits.

Les premiers mois, le petit ne s'éloigne guère de sa mère, s'abritant fréquemment entre ses pattes où il se protège également des rayons du soleil trop forts pour lui. S'il s'éloigne pour une exploration, sa mère ou une « baby sitter » attentionnée le suit aussitôt. Il se repose fréquemment dans la journée, allongé au sol et entouré d'adultes qui le protègent. Les tout jeunes poussent souvent des cris affolés, la plupart du temps sans raison réelle. S'il s'agit d'un bébé, c'est sa mère

144-145
Souvent, les très jeunes éléphanteaux se mettent la trompe dans la bouche, peut-être comme un bébé humain qui suce son pouce pour se rassurer.

146 et 147
Les petits jouent souvent avec des bouts de bois ou des touffes d'herbe et s'entraînent ainsi au maniement de leur trompe.

qui accourt à son secours, sinon elle laisse les adolescentes se précipiter pour l'aider, parfois dans la bousculade. La femelle rassure le petit en glissant maternellement dans la bouche de ce dernier l'extrémité de sa trompe. Les jeunes femelles qui n'ont pas d'enfant s'occupent de leurs petits frères ou cousins, et font ainsi leur apprentissage.

Le troupeau dans lequel grandit un jeune est le dépositaire des connaissances traditionnelles, vitales pour sa survie. Il dépend entièrement des soins de sa mère ou des autres membres de sa famille pendant trois à cinq ans, et le niveau des soins prodigués est remarquable. Les jeunes sont sans cesse tâtés, flairés, caressés. Ils sont l'objet de toutes les attentions. Le nouveau-né vient au monde avec une quantité minimale de connaissance innée. Il apprend par imitation lors des contacts rapprochés avec les adultes et par mémorisation. Malgré sa nature plutôt précoce, le jeune ne sait pas utiliser sa trompe correctement. C'est au fur et à mesure de sa croissance qu'il va apprendre à s'en servir, de la même façon qu'un bébé humain apprend à marcher. D'abord, il va essayer de manipuler des objets avec sa trompe, d'attraper des brins d'herbe, de soulever des morceaux d'écorce ou des branches. Sa maladresse est comique lorsqu'il tente désespérément d'entourer un morceau de bois avec sa trompe dont le contrôle semble lui échapper. Il n'arrive pas à bien maîtriser la multitude de muscles qui commande cet organe. Sa trompe le gêne même parfois, il la balance souvent en tous sens, ne sachant qu'en faire, la secouant vigoureusement et décrivant de grands moulinets. Certains marchent même dessus ! Avec le temps, il va s'en servir non seulement pour cueillir les objets mais aussi pour se gratter, boire, etc. Cet appendice est également une source de réconfort : il le suce fréquemment comme le bébé de l'homme suce son pouce. Arrivé à l'âge de trois ou quatre mois, il commence à prendre de l'eau avec sa trompe au lieu de se mettre à plat ventre pour boire avec la bouche. Au début, il met de l'eau partout mais, un mois plus tard, il aura acquis une certaine habileté. C'est aussi vers trois mois qu'il commence à manger de l'herbe qu'il prend souvent dans la bouche de ses aînés ; ou bien il ramasse à terre les végétaux tombant de la trompe de sa mère. Une excellente manière d'apprendre à reconnaître les plantes comestibles et à former son goût ! Dès 6 mois, il pourra ingérer une quantité importante de fourrage.

Les jumeaux sont très rares, guère plus d'un pour cent des naissances. En général, les deux nouveau-nés n'arrivent pas à survivre. Cynthia Moss a pu suivre une fois la croissance de jumeaux qui ont réussi à arriver à l'âge adulte. Chacun d'eux tétait sa mère de chaque côté. Le mâle avait une conduite agressive, il bousculait sa sœur pour qu'elle lâche sa tétine. Au début, il réussissait généralement à l'empêcher de téter, mais celle-ci apprit vite comment s'en sortir. Comme les deux éléphanteaux jouaient beaucoup ensemble, la petite femelle se mit à profiter de la fatigue de son frère pour aller téter. Après plusieurs semaines, les manifestations d'agressivité cessèrent. Leur mère était une matriarche très expérimentée, une des femelles les plus capables de réussir leur éducation. Au moment de leur naissance, la végétation se montrait abondante et la matriarche semblait produire suffisamment de lait pour ses deux petits. Ils eurent la chance de bénéficier d'un ensemble de circonstances favorables, et purent ainsi survivre.

Les éléphanteaux ont une enfance heureuse, choyée et sans contrainte jusqu'à environ 4 ans, âge où ils doivent apprendre la vie sociale et ses règles. Cela n'empêche pas une discipline rigoureuse imposée aux jeunes, en particulier aux mâles, dès l'âge le plus tendre. Un éléphanteau qui cherche à pousser pour s'assurer une place plus rapidement à un point d'eau, par exemple, peut recevoir un coup de trompe, de patte ou de croupe qui l'enverra à terre pour lui apprendre à rester à sa place. La puberté se situe vers l'âge de 10 à 12 ans. Les jeunes femelles deviennent aussitôt membres à part entière de la société des femelles reproductrices. Les jeunes mâles, eux, vont quitter leur troupeau d'origine à plus ou moins long terme. Certains partent dès 9 ans, d'autres à l'âge de 15 ans.

148

Les naissances sont souvent synchronisées dans la troupe et les éléphanteaux ont alors, en général, le même père. L'éléphanteau dont l'arrière des oreilles est bien rose n'a que quelques semaines.

149

La femelle et son petit sortent des marais. Celui-ci a dû nager pour suivre sa mère car il est tout mouillé.

149

150

Une jeune femelle joue avec son petit frère très tôt le matin. Nous sommes après la saison des pluies et la nourriture est abondante.

151

La mère encourage son petit à passer l'obstacle – un fossé – en le poussant avec sa trompe. Les autres femelles l'entourent aussi.

152
L'éléphanteau n'a pas réussi à remonter le bord de la piste. Sa mère et une autre femelle le soulèvent sous le ventre avec leur trompe, tout en émettant une sorte de grognement.

153
Les éléphanteaux se sont reposés pendant que les femelles mangeaient, mais la matriarche a donné le signal du départ et ils doivent se lever.

154 et 155
À Amboseli, la femelle et son éléphanteau avancent sur une piste. Les femelles prennent un peu de distance les unes par rapport aux autres pendant qu'elles mangent, entourées de nuées d'insectes. Les éléphanteaux sont tout aussi occupés !

156 et 157
L'éléphanteau (à gauche), curieux, lève sa trompe vers le véhicule qui s'approche. L'éléphanteau (à droite) a chargé par jeu un des hérons garde-bœuf qui accompagnent la troupe.

158-159
Dans la savane de Tsavo-est, une petite troupe d'éléphants s'apprête à traverser la piste.

LES JEUX

160-161
Les éléphants jouent à se culbuter comme de jeunes chiots et à se grimper les uns sur les autres.

162
L'éléphanteau s'amuse à essayer de pousser sa mère avec sa trompe.

163 à gauche
S'amuser avec la queue de sa grande sœur est un jeu bien sympathique !

163 à droite
L'éléphanteau a enroulé sa trompe autour des défenses de sa mère. Il commence à la mâchonner.

Les éléphants comptent parmi les rares espèces d'herbivores dont les jeunes, lorsqu'ils ne tètent pas ou ne dorment pas, passent une grande partie de leur temps à jouer. Il existe chez eux plusieurs types de jeux. Le plus souvent, ils luttent, tête contre tête. Ils se poursuivent aussi, le poursuivant attaquant la queue du fuyard. Ils adorent se grimper dessus, et particulièrement pendant les bains de boue. On voit alors de grands tas de bébés éléphants qui se tortillent, gigotent, glissent et dégringolent dans la boue. Un rien les amuse, une herbe ou une branche, une feuille qui volette. Ils sont très curieux et s'intéressent à tous les animaux qu'ils voient, oiseaux, tortues, babouins. Quand un véhicule vient à proximité d'eux, les jeunes font semblant de charger puis, très fiers, ou effrayés de leur audace, retournent s'abriter derrière leur mère. Dès l'âge de 3 ou 4 ans, les petits mâles miment l'accouplement.
Mais les jeux perdent de leur intensité lorsque la sécheresse commence, et ils peuvent même cesser complètement si celle-ci se prolonge et que les conditions de vie deviennent difficiles. Par contre, dès que la nature reverdit, le jeu reprend ses droits. Et les adultes y participent aussi avec enthousiasme.
Les premières manifestations de combats entre jeunes mâles ne sont guère que des ébats enfantins, souvent interrompus par les femelles. Au fur et à mesure qu'ils avancent en âge, les jeunes mâles consacrent de plus en plus de temps à ces affrontements rituels. La différence de style de vie entre les sexes va ainsi augmenter avec l'adolescence et la vie d'adulte.

164
Les éléphants appartiennent aux rares espèces d'herbivores où les jeunes, lorsqu'ils ne tètent pas ou ne dorment pas, passent une grande partie de leur temps à jouer.

165
En période de sécheresse, les jeux deviennent rares et parfois même s'arrêtent. Quand la nourriture est abondante, ils sont au contraire plus intenses.

166-167 et 167 en haut
Après s'être reposés, les éléphanteaux commencent à jouer, entourés par les adultes.

167 en bas
Les éléphanteaux se poussent l'un l'autre, front contre front en un simulacre de joute.

L'ALIMENTATION

168 à gauche
L'éléphant est un gourmet : s'il a le choix, il préfère les rameaux aux petites feuilles bien tendres qu'il va chercher très haut sur les arbres avec sa trompe.

168 à droite
Un éléphant adulte peut passer entre 16 et 18 heures par jour à se nourrir, quand les conditions de vie sont difficiles.

170
La femelle vient de s'attaquer à l'écorce de l'acacia et condamne ainsi l'arbre à mort. Autrefois, quand les éléphants se déplaçaient librement et « migraient », ce comportement n'avait pas de conséquences trop graves sur le milieu. La végétation avait le temps de se reconstituer.

171
L'éléphant adulte mange près de 150 kg de nourriture par jour.

Les éléphants sont très ponctuels et très réguliers lorsqu'il s'agit de se nourrir. Dans la partie forestière près du camp d'Amboseli où nous passons la nuit, une des familles vient régulièrement très tôt le matin. Les femelles flairent les branches des acacias à la recherche des rameaux les plus tendres. Elles les cassent en douceur avec la trompe, et les portent à leur bouche, les épines ne semblant absolument pas les gêner. Juste à côté de nous, l'une d'entre elles ne trouve plus rien d'intéressant à manger sur les branches les plus basses. Elle tend alors sa trompe, comme un long tentacule, pour atteindre en hauteur des pousses plus vertes et plus appétissantes. Elle n'est pas aussi agile que le grand mâle que nous avons rencontré la veille au soir, dans le même secteur. Nous l'avons trouvé debout sur les pattes arrière, complètement en extension, tel un équilibriste. Il arrivait ainsi à atteindre les branches les plus hautes d'un acacia parasol. Quel gourmand ! On a du mal à imaginer un animal aussi lourd dans cette posture, mais il semblait très à l'aise. Il est ensuite venu pendant la nuit manger sur les arbres de notre camp, après avoir trouvé un passage dans les clôtures. Le faisceau de la lampe pourtant puissante que nous avons braqué sur lui ne l'a pas du tout gêné, et il a tranquillement continué son repas.
Une autre femelle arrache un bandeau d'écorce sur l'arbre derrière nous en s'aidant de ses défenses et de sa trompe. Les plus jeunes ne peuvent pas attraper les branches et se contentent de ramasser les brindilles ou les morceaux d'écorce laissés par les adultes. Toute la famille sort maintenant de la forêt et s'attaque aux touffes d'herbe de la plaine herbeuse. Chacun des éléphants déterre simultanément une touffe en l'enserrant avec l'extrémité de sa trompe légèrement enroulée vers le bas, à l'aide d'une de leurs pattes antérieures. Certains d'entre eux utilisent plus fréquemment la droite ou la gauche, comme pour les défenses. Le pachyderme tape ensuite la touffe d'herbe sur sa patte pour en secouer la terre, et la place ensuite dans sa bouche. Il continue ainsi avec la touffe suivante, tout en mâchant la bouchée précédente. La nourriture est assez abondante, aussi les animaux prennent-ils tout leur temps. Vers onze heures, ils descendent enfin dans les marais. Là, ils se nourrissent de grandes brassées de plantes et de papyrus. Ils mangent tous très consciencieusement, en cadence. Quand ils déterrent en même temps la racine de la plante, ils mordent dans la partie comestible, et laissent tomber le reste. Certaines plantes plongent leurs racines à près de 2,5 mètres sous l'eau. Cela ne gêne guère les adultes ni les jeunes qui s'y enfoncent jusqu'aux oreilles. Les éléphants peuvent se nourrir ainsi pendant des heures en eau profonde. Les petits ont bien du mal à suivre le mouvement. En voilà un qui va se mettre à nager pour ne pas avoir de l'eau au-dessus de la tête.
Au fil des semaines, la terre s'assèche ; aucune goutte de pluie. L'herbe est jaunie et très peu nourrissante. À peine sorties de la forêt, les familles ne restent plus dans la plaine. Dès sept heures du matin, elles s'avancent vers les marais. Les éléphants ont une attitude triste, pas de jeux, pas ou peu de joutes. La matriarche s'enfonce très vite dans l'eau, suivie par ses compagnes et par les jeunes. Nous aurons beau guetter toute la journée, ils ne ressortiront pas avant la fin d'après-midi. Les observer devient très difficile. Les jours suivants, certaines familles que nous suivons habituellement manquent au rendez-vous. La sécheresse a dû les pousser dans d'autres parties du parc. Le contraste entre les périodes sèches et humides est flagrant. En fin de période sèche, les éléphants sont devenus très maigres. Tous mangent, sans enthousiasme, une nourriture qui leur apporte peu d'énergie. Ils se nourrissent et se déplacent avec des gestes lents, comme s'ils faisaient un effort conscient pour économiser leurs forces. Quand, enfin, il recommence à pleuvoir et que le vent leur apporte une odeur de terre humide et d'herbe fraîche, les pachydermes piétinent sur place et l'excitation monte. Même s'ils restent encore maigres pendant quelque temps, leur comportement change très vite. Leurs mouvements se font énergiques et vifs. La première fois qu'ils retrouvent de l'herbe verte, ils mangent sans discontinuer, ne s'arrêtant même pas la nuit pour dormir ! Car ils n'ont pas connu d'herbe aussi savoureuse et aussi nutritive depuis de très longues semaines, voire de longs mois. À partir de là, ils deviennent espiègles et joueurs. Ils se mettent même à charger notre véhicule ou des minibus de touristes, pour rire. Ils se poursuivent en barrissant bruyamment, se jettent des paquets d'herbe. Ils dépensent une énergie folle.

UN GROS MANGEUR

Un animal aux dimensions aussi imposantes a besoin quotidiennement d'un important volume de nourriture. Si les géants marins que sont les baleines se contentent d'ouvrir la bouche pour filtrer l'eau de mer et avaler le plancton, les grands mammifères terrestres doivent, eux, fournir un effort constant – non seulement pour s'approvisionner, mais encore pour mâcher, déglutir et digérer les végétaux dont ils ont besoin chaque jour. Afin de pouvoir extraire le suc des tiges fibreuses et broyer les substances dures, les éléphants ont acquis au cours de l'évolution un appareil masticateur particulièrement adapté à cette fonction. Chacune des deux demi-mâchoires, inférieures et supérieures, ne présente qu'une seule dent jugale, hérissée de crêtes d'émail en forme de losange. Le nombre de ces crêtes augmente avec l'âge de l'animal. Même si ces molaires sont très résistantes, la mastication entraîne leur usure progressive. Une nouvelle dent se substitue alors à la dent abîmée, et l'élimine. Cette dent ne se développe pas sous le moignon détérioré, comme cela se produit chez les autres mammifères, mais en arrière de celui-ci, et le pousse horizontalement pour prendre sa place quand il tombe. Dès la naissance, les éléphanteaux possèdent – outre de petites dents de lait – les deux premières dents jugales dans chaque demi-mâchoire. La première molaire tombe vers l'âge de 2 ans, et la deuxième – qui est un peu plus importante – vers 5 ans. La troisième dent jugale reste fonctionnelle jusqu'à l'âge de 10 ou 12 ans, la quatrième jusqu'à 25 ou 28 ans. La cinquième accompagne l'éléphant jusqu'à 45 ans, avant que la dernière dent n'apparaisse. Cette série finale de molaires peut résister entre quinze et vingt ans. Toutefois, peu d'éléphants vivent assez vieux pour connaître leur usure totale, l'espérance de vie d'un individu dans la nature étant inférieure à 65 ans. À chaque changement, la nouvelle dent est plus volumineuse que la précédente et les crêtes plus nombreuses. Chez l'adulte, la molaire a la taille d'une brique : la couronne mesure 30 centimètres de long sur 7 centimètres de large et pèse entre 2 et 2,25 kilogrammes. Ce mécanisme de renouvellement des dents jugales existait déjà chez les mastodontes proboscidiens fossiles que l'on a retrouvés. Leurs couronnes ne présentaient pas de plis d'émail transversaux entourés de cément, mais des tubercules arrondis qui ne pouvaient probablement broyer que des végétaux offrant peu de résistance. Ce type de denture était donc moins polyvalent que celui des éléphants actuels.

Les mouvements d'une troupe d'éléphants sont déterminés par la recherche de nourriture et d'eau. Ils consacrent jusqu'à 18 heures par jour à cette occupation, ne s'interrompant que pour de courtes siestes diurnes, ou pour quelques heures de repos nocturne pendant lesquelles même les adultes s'allongent et dorment. Les éléphants adorent les baies et les fruits. Certains n'hésitent pas à sortir des réserves pour aller manger des mangues dans les villages ! Mais ils ne peuvent faire les difficiles, car un adulte a besoin de 150 à 200 kilogrammes de nourriture par jour. Leur alimentation est très polyvalente : herbes, feuilles, racines, fruits, tubercules mais aussi racines, écorces et même du bois qu'ils sont capables de broyer grâce à leurs puissantes mâchoires. Ils aiment particulièrement le bois tendre et juteux des baobabs qu'ils entaillent profondément avec leurs défenses pour en extraire les fibres. À la saison des pluies, les pachydermes ont une nette préférence pour les herbes fraîches. Il faut les voir festoyer quand les savanes commencent à verdoyer !

Le colosse n'a pas besoin de baisser la tête pour savoir ce qu'il y a à manger par terre. Sa trompe le renseigne sur la nature, l'odeur, et la comestibilité de toutes choses. Ce géant peut tout faire en même temps : brouter en marchant, retenir sa nourriture avec sa lèvre inférieure et mastiquer.

172
Les femelles s'arrêtent de temps en temps de manger pour s'arroser de poussière.

173
Les éléphants, comme ce mâle en musth, sont capables de se dresser sur leurs pattes arrière lors de leurs efforts pour atteindre les plus hautes branches, à plus de 6 mètres de hauteur parfois.

Dressé sur ses pattes arrières, le corps et la trompe étirés au maximum, il attrape sa nourriture jusqu'à 5 ou 6 mètres en hauteur, prouesse dont seule la girafe est capable chez les grands mammifères.
Malgré ses gros besoins, ce pachyderme est délicat ! Il palpe longuement la nourriture du bout de la trompe avant de manger, et ne porte les herbes à sa bouche qu'après avoir débarrassé les racines de la terre qui y adhère, en les secouant. Les éléphants mangent régulièrement les écorces des arbres et, malheureusement, ces blessures leur sont souvent fatales. Abattre un acacia pour un grand mâle est un jeu d'enfant. Il lui suffit d'appliquer sa trompe sur le tronc, puis de pousser par à-coups de toutes ses forces ; une fois l'arbre abattu, il se délecte des parties épineuses. Les spécialistes estiment pourtant qu'il n'y a que 2 à 3 pour cent des éléphants qui se livrent à cette activité.
Les éléphants peuvent être fragiles ; ces énormes machines à manger requièrent non seulement une grande quantité de végétation par jour, mais aussi une large sélection de plantes capable de leur fournir les principaux minéraux. Que des éléments essentiels viennent à manquer dans leur régime, ils s'affaiblissent rapidement, ce qui les oblige alors à se retirer dans des lieux où l'eau est toujours présente. Là, les conditions de nourriture ne sont guère satisfaisantes. De tous les autres mammifères, les éléphants seront les premiers à souffrir de malnutrition qui les amènera à un état de léthargie, sans souffrance, causée par un taux très bas de sucre dans le sang. Et cela, alors même qu'ils ont encore de la nourriture dans l'estomac mais en quantité insuffisante. Si la situation se prolonge, les éléphants deviennent comateux – passant de plus en plus de temps endormis et manquant d'énergie pour s'éloigner de l'eau. Jusqu'au jour inévitable où ils ne peuvent tout simplement plus se lever, et leur fin arrive alors rapidement.

174
Le pachyderme secoue les palmiers doum de tout son poids pour en faire tomber les fruits dont il raffole.

175
La trompe agit comme une main, avec précision, pour attraper les branches convoitées.

Les marais et les marigots offrent les conditions idéales pour que des éléphants malades ou blessés s'y réfugient. Là, ils trouvent de l'eau et une végétation tendre et facile à mâcher, même si elle n'est pas très nourrissante. Ces lieux conviennent aussi aux vieux animaux dont les dernières dents sont usées. Lorsqu'ils meurent, les ossements disparaissent au fond de l'eau ou sont dissimulés dans la végétation. Il suffit d'une disparition de la source qui les alimente suite à une sécheresse pour que l'on trouve ensuite à ces endroits une concentration de squelettes plus importante qu'ailleurs. Ce phénomène a sans doute contribué à créer la légende des cimetières d'éléphants. Comme on le voit, ce mythe n'est pas tout à fait sans fondement.

L'éléphant possède un système digestif plutôt simple. Le processus de digestion commence avec l'entrée de la nourriture dans la bouche, plutôt petite comparée à la taille du corps. Puis il se poursuit sous l'action de glandes salivaires bien développées. Des glandes muqueuses, dans le court œsophage, aident aussi à lubrifier la végétation grossière qui constitue le régime de l'animal. Le système digestif est composé en partie par l'estomac qui n'est qu'un simple sac orienté presque verticalement avec pour fonction principale le stockage des aliments. Il n'a pas de rôle dans la digestion elle-même. Celle-ci se fait surtout dans le cæcum – plus volumineux que l'estomac – qui renferme une flore intestinale très riche, nécessaire à l'absorption de la cellulose. C'est encore dans le cæcum que sont également assimilés l'albumine de certains végétaux, l'amidon et les glucides.

Après une digestion d'une durée de vingt-deux à quarante-six heures, une grande partie de la nourriture consommée – entre 40 et 60 pour cent – quitte l'intestin sans avoir été détruite. Les graines qui s'y trouvent n'ont pas été transformées par les sucs gastriques, et font le bonheur de nombreux petits animaux, insectes, oiseaux, et même des babouins. La centaine de kilogrammes d'excréments d'un adulte constitue un excellent milieu pour les semences végétales évacuées avec eux ; dans ce fertilisant naturel, les graines peuvent ainsi germer et donner naissance à une nouvelle plante. L'éléphant dissémine alors sur son passage des semences de plantes herbacées, de graminées, d'arbustes et d'arbres. Il les emmène souvent loin du lieu où elles ont été ingérées. Les semences de certains arbres, ou de lianes des forêts tropicales, ne semblent être propagées que par les éléphants. Ainsi, le makoré *(Tieghemella heckelii)*, un arbre d'Afrique au bois dur et de couleur rouge – très recherché à l'exportation et qui ne cesse de se raréfier – ne pousse que sur leur passage. Jusqu'à présent, ce n'est que dans les excréments d'éléphant que l'on a trouvé les graines – de la grosseur d'une balle de tennis – provenant des fruits du pommier africain, car les autres animaux les dédaignent. Les mâchoires des éléphants sont capables de libérer les graines de tous les fruits tropicaux en brisant même les coques les plus grosses et les plus dures. Dans la réserve de Samburu, les éléphants font une grosse consommation des fruits des palmiers doum. Leurs noyaux sont assez résistants pour passer sans dommage dans l'estomac des pachydermes. À Manyara, l'arbre le plus fréquemment rencontré est l'*acacia tortilis*, arbre superbe à sommet plat. Durant la saison sèche, ses branches portent d'innombrables gousses jaunes et vrillées renfermant les graines et les éléphants les adorent. Pendant cette période, ils se gorgent de ces gousses en secouant les troncs de tout leur poids pour les faire tomber.

On a accusé les éléphants d'être de grands destructeurs des milieux dans lesquels ils vivent, mais c'est négliger le fait qu'ils jouent un grand rôle dans la régénération des forêts par la dispersion des graines de nombreuses espèces végétales. Il semble, au contraire, que l'on assiste à un appauvrissement du nombre des essences dans les régions où les éléphants ont disparu.

176 et 177
Dans les marais d'Amboseli, les éléphants se nourrissent de grandes brassées de plantes et de papyrus. Quand ils arrachent en même temps la racine, ils mangent la partie comestible et laissent tomber le reste.

178 à gauche et droite
En saison sèche, dans le parc d'Amboseli, les éléphants passent beaucoup de temps dans les marais. Ils y entrent tôt le matin et n'en ressortent souvent qu'à la nuit tombée. Il faut dire qu'ailleurs, il n'y a plus grand-chose à manger !

179
Nombre d'éléphants d'Afrique vivent aujourd'hui dans les profondeurs de la forêt humide. Le mode de vie de ces éléphants de forêt est moins connu que celui des éléphants de savane.

180 et 181
L'abondance de la nourriture permet à cet adolescent de prendre son temps pour jouer avec les touffes d'herbe. Il peut ainsi jouer plus d'une heure avec ses « trophées ».

182
Face à face, les deux femelles mangent paisiblement. La moitié des végétaux ingérés est rejetée sans avoir été digérée.

183
L'éléphant de forêt avec ses fines défenses droites est très reconnaissable. Comme ses congénères, il mange toujours avec une attention soutenue, sélectionnant les feuilles les plus succulentes des rameaux.

DES MIGRATIONS IMPOSSIBLES

184
La matriarche guide la troupe vers un meilleur pâturage. La troupe peut ainsi parcourir de 30 à 50 km par jour, à une vitesse d'environ 7 km/h.

185
À certaines périodes de l'année, différentes troupes « alliées » se rassemblent et forment un grand troupeau où les échanges sociaux sont très importants.

186
Lors des déplacements, les éléphanteaux doivent suivre la cadence du groupe.

187
Les troupes d'éléphants sont très souvent accompagnées de hérons garde-bœuf. Il semble que les groupes d'oiseaux soient fidèles à la même troupe. Ces échassiers utilisent les pachydermes comme promontoire et attrapent au vol les insectes délogés de l'herbe ou des branches quand la troupe avance.

Quand l'Afrique abritait plus de 5 millions d'éléphants, au début du XXe siècle, personne ne pensait alors qu'ils constituaient un danger pour les écosystèmes dans lesquels ils vivaient. Maintenant qu'ils ne sont plus que quelques centaines de milliers sur tout le continent, ils seraient la cause de bien des maux. Le problème tient principalement à l'étroitesse des réserves dans lesquelles ils sont confinés. Jadis, avant l'intervention européenne sur ce continent, les éléphants utilisaient leurs habitats de façon cyclique. Leurs mouvements migratoires étaient motivés par la recherche de nouveaux pâturages, comme le font encore les gnous entre le Serengeti et Masai-Mara. Ils exploitaient les ressources d'une région et, quand celle-ci donnait des signes d'épuisement, ils se déplaçaient vers un autre secteur, ne revenant pas en général avant de nombreuses années. Même s'ils déracinaient des arbres, les dégâts – bien que spectaculaires – ne tiraient pas à conséquence, car ils étaient dispersés dans l'espace et suffisamment éloignés dans le temps. Leur impact sur l'évolution du paysage était même considéré comme positif, mettant par exemple à portée d'herbivores de petite taille un feuillage apprécié mais sans eux inaccessible et traçant des sentiers dans des savanes très denses. Aujourd'hui, ces grandes migrations sont devenues impossibles. Les parcs nationaux sont pour la plupart enclavés dans des zones habitées, et les éléphants ne peuvent plus quitter leurs sanctuaires. Avec ces animaux intelligents, à la fois grands vagabonds et gros consommateurs, les problèmes sont vite apparus, et de façon beaucoup plus aiguë qu'avec n'importe quelle autre espèce d'herbivore. Leur étonnante mémoire des lieux et des événements leur font rapidement faire la différence entre les endroits où ils sont harcelés et ceux où on les laisse en paix. D'où une destruction rapide de milieux devenus trop restreints pour eux.

À Amboseli par exemple, les éléphants ont toujours connu une alternance de sécheresse et d'abondance, et effectué des migrations saisonnières. Actuellement, ces déplacements vers de nouveaux pâturages sont rendus très difficiles par la sédentarisation des populations Massaï voulue par le gouvernement kenyan. Les éléphants ont bien du mal à se rendre, à la saison sèche, au pied du Kilimandjaro où la végétation reste verte et, en conséquence, ils surexploitent le parc.

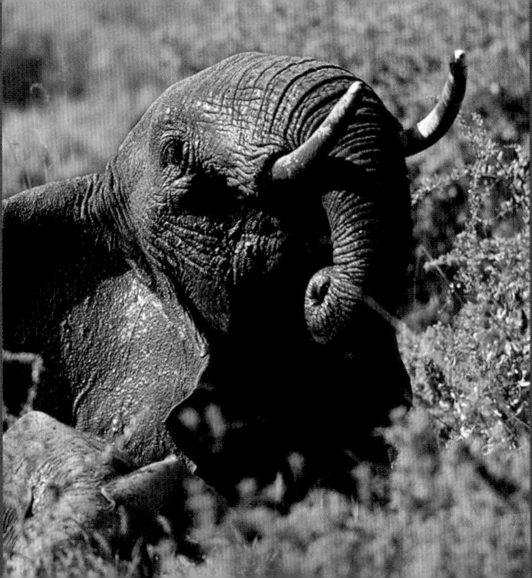
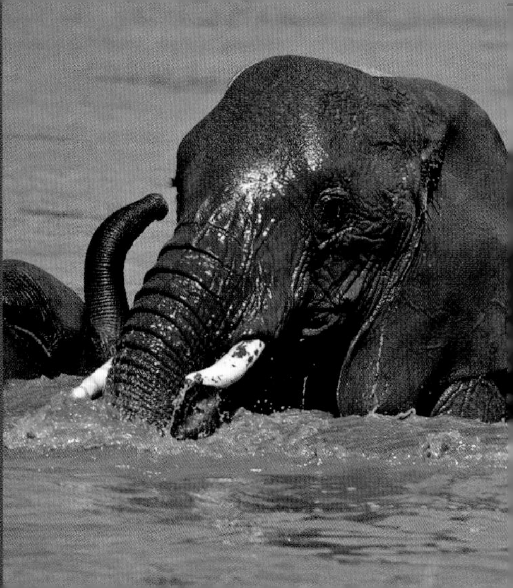

L'EAU INDISPENSABLE

188
L'adolescent joue
dans une mare de boue
entre les buissons.

188 à droite
Les éléphants sont
d'incroyables nageurs.
Ils peuvent traverser
les rivières les plus profondes,
voire des bras de mer.

190 et 191
Les jeux entre éléphanteaux
atteignent une intensité
toute particulière au moment
du bain, mais, adolescents
et femelles (à droite)
ne sont pas en reste.

À Samburu, les familles d'éléphants passent généralement la nuit dans les collines. Chaque matin, il nous faut donc attendre qu'elles redescendent en direction de la rivière. Pour cela, nous nous plaçons dans une plaine où la vue est assez dégagée. Les troupes ne rejoignent pas tous les jours la rivière au même endroit et, certaines fois, il nous est impossible de les suivre, tant la végétation est dense. Les pachydermes apparaissent souvent vers huit ou neuf heures. De toute façon, il est exceptionnel qu'ils aillent vers l'eau avant cette heure-là. Aujourd'hui, nous avons de la chance ; la première famille arrive à notre hauteur dès sept heures trente. Les éléphants mangent tranquillement près de nous, et deux autres familles apparaissent au loin. La matriarche décide soudain que l'heure est venue de se rafraîchir, et voilà toute la troupe qui s'avance rapidement vers l'eau. La marche s'accélère, et nous avons juste le temps de nous placer à un endroit où la vue est bien dégagée, et où nous pouvons observer sans gêner. Les premières femelles ont rejoint la berge sableuse et plongent le bout de leur trompe dans l'eau. Ensuite, après avoir relevé la tête un peu en arrière, elles le placent dans leur bouche, laissant l'eau s'écouler au fond de la gorge. Deux petits ont préféré s'agenouiller près d'elles sur la rive. Les adolescents pénètrent dans l'eau peu profonde et boivent eux aussi. Tout à coup, l'un des éléphanteaux se plonge dans l'eau, d'un côté puis de l'autre. Ses compagnons l'imitent, les plus jeunes ne sont pas en reste, et les rejoignent. En voilà un qui monte sur le dos de son voisin, un autre qui laisse juste sa trompe dépasser de l'eau comme un périscope – il faut dire qu'il est nettement plus petit. C'est l'heure de la récréation, une véritable explosion de joie ! Un des adolescents se redresse et se met à courir dans de grandes gerbes d'eau. Avec plaisir, nous voyons les femelles s'avancer elles aussi, et se mettre à jouer avec les jeunes. Cris, barrissements, gerbes d'eau – l'activité est intense. Deux femelles joutent, se poussant défenses contre défenses. Une deuxième famille vient d'atteindre la berge. Elle commence par boire elle aussi avant de se joindre à ceux qui sont déjà dans l'eau. Les salutations sont rapides, et le jeu reprend entre tous les jeunes. La première matriarche traverse la rivière, suivie par ses compagnes. Les adolescents n'ont pas l'air décidés à quitter l'eau, et ils prennent du retard. De l'autre côté, la berge est abrupte : les femelles pétrissent la boue avec leurs pieds. Elles l'aspirent ensuite avec la trompe et s'aspergent les épaules, le dos et même le ventre. Les adolescents, qui sont enfin arrivés, préfèrent se mettre sur le flanc directement dans la boue. Ils remuent dans tous les sens et s'enduisent la tête, les oreilles et les yeux. Puis, ils se redressent, s'asseyent et se laissent tomber de l'autre côté… Les plus jeunes en profitent pour grimper sur leurs aînés. Enfin, ils s'extirpent tous tant bien que mal du bourbier qu'ils ont eux-mêmes façonné. Les voilà qui glissent et dérapent sur la montée. Ils ont du mal à rejoindre les femelles qui les attendent en haut. La deuxième troupe est toujours dans l'eau. Nous apercevons dans la boucle suivante la troisième famille qui traverse. Tranquillement, un vieux mâle vient boire lui aussi ; sa trompe se lève, et il hume en direction des femelles. Celles qui se baignaient encore préfèrent quitter la rivière, et s'enfoncent dans la forêt de l'autre côté. Le mâle ne semble pas décidé à les suivre et repart d'où il est venu. Et finalement, nous nous retrouvons seuls, pendant que les familles mangent sur l'autre rive.

192
Même si elles ne se baignent pas elles-mêmes, les femelles laissent aux plus jeunes le temps de s'immerger quand la nourriture est facile à trouver.

193
La femelle et son petit traversent la rivière à la recherche de meilleurs pâturages. Il n'y a guère à manger et ils ne s'attardent pas.

UNE GRANDE SOIF

Les éléphants ont absolument besoin d'eau, que ce soit un lac, une mare permanente ou une source qu'ils sauront toujours détecter. Pour trouver l'eau, il leur arrive de creuser dans le lit des rivières asséchées. Ils parviennent à forer avec leurs défenses et leurs pieds, de véritables puits qui descendent à plus d'un mètre de profondeur. Ainsi, ils atteignent avec leur trompe l'eau qui filtre des nappes du sous-sol. Ces trous sont ensuite utilisés par beaucoup d'autres êtres vivants qui n'auraient pas accès à l'eau en l'absence des éléphants.

En général, un éléphant adulte boit quotidiennement de 70 à 100 litres d'eau par jour, parfois plus s'il est particulièrement assoiffé après plusieurs jours d'abstinence. Il a aussi besoin de se baigner ou de se rafraîchir. La perspective d'un bon bain, en saison sèche, poussera le troupeau à faire plus de 30 kilomètres. Le suc des plantes peut satisfaire les besoins en liquide pendant un jour ou deux mais, ensuite, l'eau elle-même devient indispensable. La petite population d'éléphants qui vit dans le désert en Namibie est parfaitement adaptée à la rudesse de son environnement ; les pachydermes y ont même développé des caractéristiques génétiques qui leur sont propres, comme leur étrange capacité à localiser précisément une source d'eau au milieu de nulle part. Ils se nourrissent avec parcimonie des arbres et arbustes de la région, et sont capables de ne boire que tous les trois ou quatre jours, après avoir parcouru de longues distances. Quand ils vont d'un point d'eau à l'autre, ils peuvent alors manger des plantes totalement impropres à la consommation pour les autres animaux. En zone de savane, les éléphants boivent dès qu'ils le peuvent, une fois par jour ou même parfois deux en pleine saison sèche. Ils aiment les eaux fraîches et claires, comme celles des mares d'eau de pluie. Paradoxalement, ils sont les premiers à polluer leurs sources d'eau en y déféquant et en urinant, ou encore en agitant le fond boueux en s'y baignant. C'est le plus souvent en milieu de journée ou en soirée que les troupeaux vont boire et se rafraîchir. Dans le delta de l'Okavango au Botswana, de nombreux pachydermes vivent sur des îles. Lorsqu'ils en ont épuisé toutes les ressources, ils changent de domaine, le plus souvent en nageant. Et les éléphants sont de bons nageurs bien qu'ils flottent difficilement, le sommet et le haut du crâne affleurant la surface de l'eau, leur trompe servant de tuba.

En forêt où l'eau ne manque pas, l'éléphant boit à n'importe quelle heure, par petites aspirations, chaque fois qu'il traverse un marigot. À l'opposé de ceux qui vivent dans le désert, certains éléphants de forêt mènent une existence quasiment amphibie.

Pour boire, les éléphants utilisent uniquement leur trompe dès qu'ils sont en âge de s'en servir ; ils l'immergent longuement, aspirent et rejettent ensuite l'eau dans leur bouche. Lorsqu'ils ont suffisamment bu, ils s'aspergent la tête puis le corps et finissent souvent par se coucher dans l'eau. La trompe a une remarquable capacité d'absorption d'une dizaine de litres environ. Seuls les plus jeunes se mettent à genoux pour boire directement avec la bouche, car ils ne savent pas encore utiliser correctement leur trompe.

194
Quand l'eau est proche, les éléphants se mettent souvent à courir pour l'atteindre plus vite.

195
Cette famille est fidèle à ses habitudes. Presque tous les jours, nous la voyons arriver entre 9 et 11 heures au bord de la rivière Ewaso Ngiro à Samburu.

194

196
Les éléphants aiment courir dans l'eau, projetant de grandes éclaboussures et barrissant joyeusement.

197
L'éléphant a rejoint un des rares points d'eau de Tsavo Est en période de sécheresse. Il charge pour en écarter les buffles qui s'y étaient installés.

198 en haut et 199
En se déplaçant dans les marais, les éléphants délogent des petits batraciens dont les hérons garde-bœuf se nourrissent.

198 en bas
L'éléphanteau s'est immergé et se sert de sa trompe comme d'un périscope.

200 et 201
Les marais sont des milieux particulièrement favorables pour servir de refuge aux éléphants malades ou blessés ainsi qu'aux vieux animaux dont les dernières dents sont usées. Là, ils trouvent de l'eau et une végétation tendre, facile à mâcher.

202
L'éléphanteau mange de la terre sableuse pour absorber les minéraux qu'elle contient.

203 en haut
Dans la savane, les éléphants boivent une fois par jour, parfois deux. C'est le plus souvent en milieu de matinée, ou en fin d'après-midi, qu'ils se rendent aux points d'eau.

203 en bas
L'eau de la rivière n'est pas très profonde, et même les éléphanteaux doivent se coucher pour pouvoir s'immerger.

204 et 205
L'heure du bain est un moment privilégié pour toute la troupe. À Samburu, même si les familles observées viennent tous les jours boire à la rivière, elles ne s'y baignent pas à chaque fois.

206
La troupe a recherché une mare de boue pour s'y rouler. Les adolescents, excités, en profitent alors pour jouer longuement.

207
La femelle attrape le sable de la berge avec sa trompe pour s'en arroser.

208
Les éléphants s'arrosent souvent de poussière après le bain car elle se fixe mieux sur la peau. La couche ainsi créée les protège des insectes.

209
La poussière agit comme un abrasif et permet aux éléphants de garder une peau saine.

BAINS DE POUSSIÈRE ET DE BOUE

Les éléphants s'arrosent de poussière avec leur trompe plusieurs fois dans la journée. Cette douche se fait généralement en même temps que d'autres activités sociales, en particulier autour des points d'eau. La couche de poussière recouvre la plupart du temps une ancienne trace de boue déjà sèche. Elle colorie les pachydermes en gris ou en rouge, comme à Tsavo au Kenya, selon la nature des sols. Les éléphants aiment aussi les berges glaiseuses, ou simplement les petites mares boueuses. Ils s'y roulent sans vergogne, surtout les jeunes. Mais les adultes s'éclaboussent eux aussi de boue sombre et gluante, la prenant dans le creux de leur trompe pour la projeter sur la poitrine, le dos, les flancs et la tête. Quel est le rôle de ces bains de poussière et de boue ? Avant tout, ils sont une source de plaisir pour les animaux qui s'y adonnent. Mais ces comportements relèvent en grande partie aussi de la lutte contre la chaleur. L'éléphant utilise différents moyens pour la supporter, comme les battements de ses oreilles qui servent de refroidisseurs, et ces bains qui apportent à la peau une couche protectrice contre le soleil. Cette épaisseur le préserve aussi des parasites ou des piqûres d'insectes – moustiques ou mouches tsé-tsé. Contrairement à d'autres grands herbivores, les éléphants ne supportent pas les oiseaux déparasiteurs comme les pique-bœufs, pourtant très efficaces pour débarrasser la peau des impuretés ou des insectes qui s'y logent, et pour la maintenir en bon état. Cette intolérance explique en partie l'importance des pulvérisations de boue et d'eau. Les jeunes qui ne savent pas encore se servir de leur trompe se roulent par terre ou sont arrosés par leur mère.

L'éléphant digère difficilement et il est donc sujet à des maux d'estomac. Pour se soulager, il fréquente régulièrement des salines. Là, les pachydermes creusent, labourent le sol avec leurs défenses, leur trompe ou leurs pattes avant, et broient la terre en une fine poussière qu'ils aspirent. Cette terre est imprégnée de chlorure de sodium, mais l'animal y trouve aussi du calcium, du phosphore, du magnésium, du fer et du kaolin qui forme un véritable pansement gastrique. L'organisme de l'éléphant assimile le sodium qu'il absorbe, ce qui lui permet d'éliminer l'excédent de potassium lié à son alimentation mais toxique pour lui. La terre des salines procure également le calcium nécessaire à la croissance des défenses. C'est d'ailleurs dans les zones où existent ces salines que l'on trouve, ou trouvait, les éléphants porteurs des plus belles défenses. Pour mieux accéder au sel, les femelles n'hésitent pas à se mettre à genoux, comme les jeunes qui mangent parfois directement avec la bouche. Quand les lieux sont fréquentés par plusieurs familles, l'attente est plus ou moins longue selon le statut de la matriarche qui arrive. Si elle est de rang plus élevé que les consommateurs présents, ceux-ci se retireront au premier signe de menace. Les éléphants peuvent aussi détruire des termitières complètement pour accéder au sol très riche de ces citadelles.

Certaines salines sont temporaires, mais d'autres sont fréquentées depuis des millénaires. Ainsi, depuis des milliers d'années, les éléphants avaient coutume de se rendre dans les cavernes du Mont Elgon au Kenya – dont le sommet culmine à 4 300 mètres d'altitude – pour y chercher du sel. Cet ancien volcan comporte une multitude de grottes dont certaines étaient jadis habitées par des Masai de la tribu El Gonyi. Par prudence, les grands animaux n'y venaient que la nuit. Ils suivaient un itinéraire précis, transmis de génération en génération ; s'enfonçant dans les profondeurs du volcan. Ils évoluaient au milieu des éboulements avec d'infinies précautions. Pour satisfaire leurs besoins, au fil de leurs visites, ils ont profondément creusé les murs de ces grottes. Les marques des défenses sur les parois sont encore bien visibles. Actuellement, les troupeaux n'y viennent plus. Peut-être n'y a-t-il plus de matriarches capables de les y conduire ?

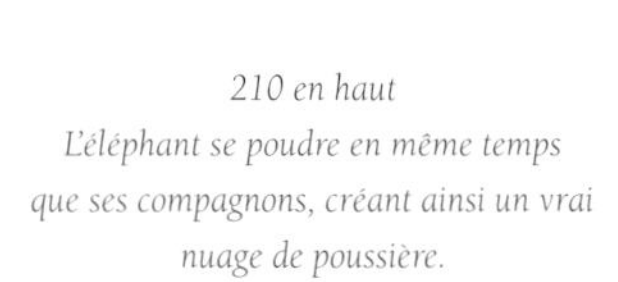

210 en haut
L'éléphant se poudre en même temps que ses compagnons, créant ainsi un vrai nuage de poussière.

210 en bas
L'éléphanteau se frotte tout le corps avec le sable de la berge.

211
L'éléphant se secoue pour enlever l'excédent de terre qu'il a récupéré dans le lit de la rivière Mara.

212 et 213
Des grands mâles de Samburu profitent d'une mare de boue. Elle recouvre leur épiderme d'une couche protectrice contre le soleil, les parasites ou les piqûres d'insectes.

214 et 215
Toute la troupe se vautre avec grand plaisir
dans une mare de boue dans les marais de Musiara
de la réserve de Masai-Mara.

216 et 217
La trompe est un excellent pulvérisateur de boue.
Elle permet d'atteindre la tête, le dos et même
le dessous du ventre.

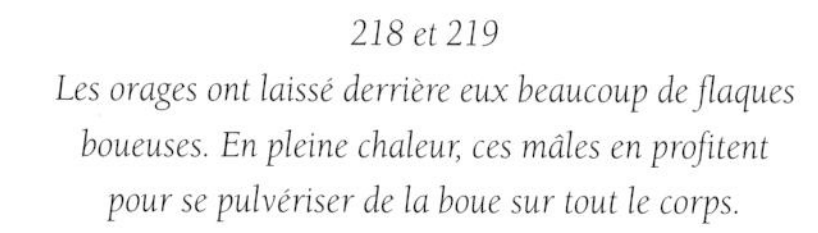

218 et 219
Les orages ont laissé derrière eux beaucoup de flaques
boueuses. En pleine chaleur, ces mâles en profitent
pour se pulvériser de la boue sur tout le corps.

220
En sécurité dans les marais, le jeune éléphanteau
suit sa mère, accompagné des hérons garde-bœuf.

CRÉDITS PHOTOGRAPHIQUES

Toutes les photos de cet ouvrage sont de Christine et Michel Denis-Huot, à l'exception des suivantes : *8* Archivio Scala ; *14* Stefano Occhielli/Il Dagherrotipo ; *15* Mansell/Timepix/Masi ; *16* Photos 12 ; *17* Werner Forman Archive/Index ; *18-19* The British Museum ; *19 à gauche* Archivio White Star ; *19 à droite* Araldo De Luca ; *20 en haut* The Artarchive ; *20 en bas* Araldo De Luca/Archivio White Star ; *21* AISA ; *22-23* AISA ; *23 en haut* Giovanni Dagli Orti ; *23 en bas* The British Museum ; *24* Hulton Archive/Laura Ronchi ; *25* Archivio Scala ; *26 en haut* The Art Archive ; *26 en bas à droite* The Art Archive ; *26 en bas à gauche* Roger Viollet/Contrasto ; *27* The Art Archive ; *28* The Art Archive ; *29 en haut à droite* Topham Picturepoint/ Double's/ ICP ; *29 en haut à gauche* Victoria & Albert Museum ; *29 en bas* Fototeca Storica Nazionale ; *30* Royal Geographical Society, *30-31* Archivio White Star ; *32 à gauche* Photos 12 ; *32 à droite* Archivio White Star ; *33* Royal Geographical Society ; *34 à gauche* Archivio White Star ; *34 à droite* Archivio White Star ; *34-35* Archivio White Star ; *35 en haut* Archivio White Star ; *35 en bas* Royal Geographical Society ; *36 en haut* Archivio White Star ; *36 en bas* Archivio White Star ; *37 en haut* Topham Picturepoint/Double's/ICP ; *37 au centre* Archivio White Star ; *37 en bas* Archivio White Star ; *38-39* Hulton Archivi/Laura Ronchi ; *39 en haut* Hulton Archive/Laura Ronchi ; *39 au centre* Royal Geographical Society ; *39 en bas* Roger Viollet/Contrasto ; *40-41* Archvio Scala ; *40 en bas* RMN ; *41* Archivio Scala ; *134-135* Ferrero/Labat Phone

Les photographies de ce livre ont été réalisées avec des boîtiers Canon EOS1N, EOS3 et EOS1V.
Les objectifs Canon utilisés sont 600 F4, 500 F4 IS, 300 F2.8 IS et les zooms 20-35, 28-70 et 70-200.
Les prises de vue ont été faites avec des films Fujichrome Provia et Sensia.